시사, 경제금융, 4자성어

생활 속 한자어 3,500

생활 속 한자어 3,500

발 행 | 2025년 2월 27일
저 자 | 서성문
펴낸이 | 한건희
펴낸곳 | 주식회사 부크크
출판사등록 | 2014.07.15(제2014-16호)
주 소 | 서울특별시 금천구 가산디지털1로 119 SK트윈타워 A동 305호
전 화 | 1670-8316
이메일 | info@bookk.co.kr

ISBN | 979-11-419-9221-7

www.bookk.co.kr

생활 속 한자어 3,500

서성문 지음

CONTENT

머리말

　슬기로운 언어생활을 위해서는 우리말의 70%를 차지하는 한자어의 뜻을 정확하게 이해하는 것이 필수적이다. 또한 '身言書判'이란 말이 있듯이 사람의 말과 글은 자신을 나타내는 중요한 요소이다. 최근 이슈가 되고 있는 문해력 부족 문제는 한자 교육의 부재로 인한 당연한 결과라고 할 수 있다. 이러한 생각에서 이 교재는 시사, 경제금융 등 실용한자어 및 우리 생활 속에서 자주 사용하는 한자어와 사자성어 3,500여 개에 대해 훈(뜻)과 음(소리)을 정리했다.

　이번 '생활 속 한자어 3,500'은 2023년에 출간한 '매일 만나는 한자어 2,800'의 증보판이다. 최근 자주 회자된 말들을 중심으로 한자어를 추가했으며 기존에 실었던 어휘들은 좀 더 가까운 뜻을 찾는 노력을 경주했다. 여러 뜻으로 쓰이는 한자는 대표 뜻과 해당 단어에서의 뜻을 함께 표기하여 쉽게 이해할 수 있도록 했다. 이와 더불어 실제로 사용되는 예를 괄호 안에 표기해 이해를 돕도록 했다. 우리의 말과 글이 삶을 풍요롭게 하고, 장차 영어처럼 전 세계에서 울려 퍼지길 기대한다.

일러두기

1. 시사, 경제금융 등 실용한자어 및 우리 생활 속에서 자주 만나는 한자어와 사자성어 3,500여 개의 단어를 정리하여 훈(뜻)과 음(소리)을 게재했음.

2. 사전에 나오는 표제어 다음에 해당 한자어에서 쓰인 의미를 함께 실었음.

3. 이해를 돕기 위해 예문을 괄호 안에 제시했음.

4. 사자성어와 고전 명언을 통해 선현들의 지혜를 배울 수 있도록 했음.

5. 사용 빈도에 따라 최빈출어(最頻出語)와 빈출어(頻出語)로 나누어 나열했음.

6. 다중 의미/음 한자 550개를 따로 정리하여 훈과 음을 설명했음.

7. 가나다순으로 배열해서 쉽게 찾아볼 수 있음. 긴 설명을 지양해서 적은 공간에서 많은 정보를 얻을 수 있게 했음.

加工食品	가공식품	더할 가	장인/인공 공	밥/먹을 식	물건 품
家禽類	가금류	집 가	새 금	무리 류(유)	(닭, 오리 따위)
假想貨幣	가상화폐	거짓 가	생각 상	재물 화	화폐 폐
可燃性	가연성	옳을/가히 가	탈 연	성품/성질 성	(可燃性 物質)
角逐場	각축장	뿔 각	쫓을 축	마당 장	
間髮	간발	사이 간	터럭 발	(間髮의 差異)	
干涉	간섭	방패/간여할 간	건널 섭		
簡素化	간소화	대쪽/간략할 간	본디/질박할 소	될 화	
干與	간여	방패/간여할 간	더불 여	(軍의 政治 干與)	
懇切	간절	간절할 간	끊을/매우 절		
干拓	간척	방패 간	넓힐 척	(干拓事業)	
堪當	감당	견딜 감	마땅 당	(유의어 堪耐)	
勘案	감안	헤아릴 감	책상/생각 안	(유의어 諒解, 參考)	
開墾	개간	열 개	개간할 간	(開墾하여 農地로 利用)	
坑道	갱도	구덩이 갱	길 도	(地下坑道)	
健忘症	건망증	굳셀 건	잊을 망	증세 증	
儉約	검약	검소할 검	맺을/검소할 약	(유의어 節約)	
檢閱	검열	검사할 검	볼 열	(事前檢閱制)	
儉而不陋 華而不侈	검이불루 화이불치	검소할 검, 말이을 이	아닐 불	더러울 루(누)	빛날 화, 사치할 치

劍鬪士	검투사	칼 검	싸울 투	선비/사내 사 (로마 時代의 劍鬪士)
劫奪	겁탈	위협할 겁	빼앗을 탈	(유의어 强姦, 强奪)
激動	격동	격할 격	움직일 동	(激動의 現代史)
激變期	격변기	격할 격	변할 변	기약할/기간 기
堅調	견조	굳을 견	고를 조	(株價가 堅調한 흐름을 보이다)
犬兎之爭	견토지쟁	개 견	토끼 토	갈/어조사 지 다툴 쟁
鯨戰蝦死	경전하사	고래 경	싸움 전	두꺼비/새우 죽을 사 하
警鍾	경종	경계할 경	쇠북 종	(警鍾을 울리다)
警察	경찰	경계할 경	살필 찰	(警察官, 警察署)
蠱惑的	고혹적	뱃속벌레 고	미혹할 혹	과녁/어조사 적
穀雨	곡우	곡식 곡	비 우	(24節氣, 淸明과 立夏 사이)
恐喝	공갈	두려울 공	꾸짖을 갈	(恐喝脅迫)
公憤	공분	공평할/공적 공	분할 분	(視聽者들의 公憤을 사다)
過敏	과민	지날/지나칠 과	민첩할 민	(過敏反應)
寬容	관용	너그러울 관	얼굴/용서 용	
傀儡	괴뢰	허수아비 괴	꼭두각시 뢰(뇌)	
購讀經濟	구독경제	살 구	읽을 독	지날 경 건널 제
具色	구색	갖출 구	빛 색	(具色을 맞추다)
口實	구실	입 구	열매 실	(유의어 名分, 名目)
構造調整	구조조정	얽을 구	지을 조	고를 조 가지런할 정
苟且	구차	진실로 구	또/구차할 차	(苟且한 辨明)

具體的	구체적	갖출 구	몸 체	과녁/어조사 적 (반의어 抽象的)
構築	구축	얽을 구	쌓을 축	(DB 構築)
舊態依然	구태의연	예 구	모습 태	의지할/같을 의 전과 그럴 연
國民儀禮	국민의례	나라 국	백성 민	거동/법식 의 예도 례(예)
局地的	국지적	판/구획 국	땅 지	과녁/어조사 적 (局地的 戰爭)
君臨	군림	임금 군	임할/다스릴 림(임)	(國民 위에 君臨하는 官僚)
屈折	굴절	굽힐 굴	꺾을 절	(유의어 屈曲)
歸省	귀성	돌아갈 귀	살필 성	(歸省人波)
歸巢本能	귀소본능	돌아갈 귀	새집 소	근본 본 능할 능
筋力	근력	힘줄 근	힘 력(역)	(筋力運動)
禁忌	금기	금할 금	꺼릴 기	(禁忌를 깨다)
技倆	기량	재주 기	재주 량(양)	(힘과 技倆을 兼備하다)
欺瞞	기만	속일 기	속일 만	(유의어 欺罔)
幾微	기미	조짐 기	작을 미	(初等生 殺害 教師 犯行 幾微있었다)
奇拔	기발	기특할/뛰어날 기	뽑을/빼어날 발	(奇拔한 생각이 떠오르다)
期約	기약	기약할 기	맺을 약	(期約 없는 離別)
忌日	기일	꺼릴/기일 기	날 일	(忌日이 돌아오다)
基軸	기축	터 기	굴대 축	(基軸通貨)
氣候	기후	기운 기	기후 후	(異常氣候, 氣候變化/危機)
拿捕	나포	잡을 나	잡을 포	
落伍	낙오	떨어질 락(낙)	다섯사람/대열 오	(競爭에서 落伍하다)

落札	낙찰	떨어질 락(낙)	편지 찰	(落札價)
亂臣賊子	난신적자	어지러울 란(난)	신하 신	도둑 적	아들 자
納凉	납량	들일 납	서늘할 량(양)	(納凉特輯)
拉致	납치	끌 납	이를 치	(旅客機 拉致)
朗報	낭보	밝을 랑(낭)	갚을/알릴 보	(금메달 朗報에 기뻐하다)
老鋪	노포	늙을 로(노)	펼/가게 포	(= 老舖)
濃度	농도	짙을 농	법도/정도 도	(微細먼지濃度)
籠絡	농락	대바구니 롱(농)	이을/고삐 락(낙)	(유의어 戲弄)
濃縮	농축	짙을 농	줄일 축	
陋醜	누추	더러울 루(누)	추할 추	
端末機	단말기	끝 단	끝 말	틀 기	(無線端末機, 카드端末機)
斷罪	단죄	끊을/판결할 단	허물/죄 죄	(嚴重한 歷史의 斷罪를 두려워해야)
談合	담합	말씀 담	합할 합	(談合行爲)
踏襲	답습	밟을 답	엄습할/인습할 습	(弊端을 踏襲하다)
唐慌	당황	당나라/당황할 당	어리둥절할 황	
臺本	대본	대/무대 대	근본/책 본	(유의어 劇本)
代謝症候群	대사증후군	대신할 대	사례할 사	증세 증	기후/증상 후, 무리 군
大乘的	대승적	큰 대	탈 승	과녁/어조사 적	(大乘的 決斷)
倒産	도산	넘어질 도	낳을/재산 산	(黑字倒産, 連鎖倒産)
倒置	도치	넘어질/거꾸로 도	둘 치	(倒置法)

斗酒不辭	두주불사	말 두	술 주	아닐 불	말씀/사양할 사
萬壽無疆	만수무강	일만 만	목숨 수	없을 무	지경 강
晚餐	만찬	늦을 만	밥 찬		
挽回	만회	당길 만	돌아올 회	(失手를 挽回하다)	
抹殺	말살	지울 말	죽일 살	(日章旗抹殺事件)	
網膜	망막	그물 망	꺼풀 막	(網膜炎, 網膜出血)	
魅了	매료	매혹할 매	마칠 료	(유의어 魅惑)	
滅門之禍	멸문지화	다할 멸	문 문	갈/어조사 지	재앙 화
命脈	명맥	목숨 명	혈맥 맥	(命脈을 이어 가다, 命脈을 維持하다)	
冒瀆	모독	무릅쓸/씌울 모	도랑/더럽힐 독	(神聖冒瀆)	
母數改革	모수개혁	어미 모	셈 수	고칠 개	가죽/고칠 혁
冒險	모험	무릅쓸 모	험할 험		
描寫	묘사	그릴 묘	베낄 사		
無斷橫斷	무단횡단	없을 무	끊을 단	가로 횡	
無謀	무모	없을 무	꾀 모	(無謀한 挑戰)	
無罪推定	무죄추정	없을 무	허물 죄	밀/헤아릴 추	정할 정
默祕權	묵비권	잠잠할 묵	숨길 비	권세/권리 권	(默祕權 行事)
未詳	미상	아닐 미	자세할 상	(作者未詳, 身元未詳)	
未然防止	미연방지	아닐 미	그럴 연	막을 방	그칠 지
微溫的	미온적	작을 미	따뜻할 온	과녁/어조사 적	(微溫的으로 對處하다)
憫惘	민망	불쌍히여길/민망할 민	멍할 망		

剝製	박제	벗길 박	지을 제
返還	반환	돌이킬 반	돌아올 환 (文化財 返還)
潑剌	발랄	물뿌릴 발	발랄할 랄 (才氣潑剌하다)
發惡	발악	필/쏠 발	악할 악
發作	발작	필/일어날 발	지을/ 일어날 작 (發作症)
拔擢	발탁	뽑을 발	뽑을 탁 (拔擢人事制)
醱酵	발효	술괼 발	삭힐 효
傍點	방점	곁 방	점 점 (傍點을 찍다)
方程式	방정식	모 방	한도/길 정 법 식
幇助	방조	도울 방	도울 조 (共謀와 幇助 嫌疑)
賠償	배상	물어줄 배	갚을 상 (損害賠償)
繁華街	번화가	번성할 번	빛날 화 거리 가 (繁華街 隣近)
僻地	벽지	궁벽할/ 후미질 벽	땅 지 (山間僻地)
輔弼	보필	도울 보	도울 필 (유의어 補佐)
複利	복리	겹칠 복	날카로울/ 이로울 리 (이) (複利計算)
服用	복용	옷/약먹을 복	쓸 용 (藥物服用)
封鎖	봉쇄	봉할 봉	쇠사슬 쇄 (海上封鎖)
不凍液	부동액	아닐 부	얼 동 진 액 (自動車 不凍液)
浮動票	부동표	뜰 부	움직일 동 표 표
不得已	부득이	아닐 부	얻을 득 이미 이 (하는 수 없이)

部落	부락	떼 부	떨어질/마을 락(낙)	(部落民)	
敷衍	부연	펼 부	넓을 연	(敷衍說明)	
富營養化	부영양화	부유할 부	경영할 영	기를 양	될 화
賻儀金	부의금	부의 부	거동/선물 의	쇠/돈 금	
分擔金	분담금	나눌 분	멜 담	쇠 금	(再開發 分擔金)
分離收去	분리수거	나눌 분	떠날 리(이)	거둘 수	갈 거
粉飾會計	분식회계	가루/바를 분	꾸밀 식	모일 회	셀 계
盆栽	분재	동이 분	심을 재		
分秒社會	분초사회	나눌/시간단위 분	분초 초	모일 사	모일 회
奮鬪努力	분투노력	떨칠 분	싸울 투	힘쓸 노	힘 력
拂下	불하	떨칠 불	아래 하	(民間 企業에 國有地를 拂下하다)	
不朽	불후	아닐 불	썩을 후	(不朽의 名作)	
非常戒嚴	비상계엄	아닐 비	항상 상	경계할 계	엄할 엄
匕首	비수	비수 비	머리/칼자루 수		
悲壯	비장	슬플 비	장할 장	(悲壯한 覺悟)	
詐欺	사기	속일 사	속일 기	(傳貰詐欺)	
謝禮	사례	사례할 사	예도 례(예)	(滿員謝禮)	
査閱	사열	조사할 사	셀 열	(部隊를 査閱하다)	
森嚴	삼엄	수풀/삼엄할 삼	엄할 엄	(森嚴한 警戒를 뚫고)	
上司	상사	위 상	맡을/벼슬 사	(職場上司)	

傷害致死	상해치사	다칠 상	해할 해	이를 치	죽을 사
償還	상환	갚을 상	돌아올 환	(유의어 辨償, 辨濟, 報償)	
省略	생략	살필 성/ 덜 생	다스릴/줄 일 략(약)	(以下省略)	
宣撫工作	선무공작	베풀/펼 선	어루만질 무	장인 공	지을 작
旋風的	선풍적	돌 선	바람 풍	과녁/어조사 적	(旋風的 人氣를 모으다)
閃光	섬광	엿볼/번쩍일 섬	빛 광	(閃光과 爆音)	
譫妄	섬망	헛소리 섬	망령될 망	(譫妄狀態)	
殲滅	섬멸	다죽일 섬	꺼질 멸		
聲明書	성명서	소리 성	밝을 명	글 서	(聲明書를 朗讀하다)
洗滌	세척	씻을 세	씻을 척		
小康	소강	작을 소	편안 강	(小康狀態)	
疏開令	소개	소통할/성길 소	열 개	하여금/ 명령 령(영)	(附近 建物에 疏開令이 내려졌다)
消去	소거	사라질 소	갈 거	(音消去)	
巢窟	소굴	보금자리 소	굴 굴	(犯罪巢窟)	
消極的	소극적	사라질 소	극진할 극	과녁/어조사 적	(반의어 積極的)
遡及	소급	거스를 소	미칠 급	(遡及適用 不許)	
所得代替率	소득대체율	바 소, 얻을 득	대신할 대	바꿀 체	비율 률(율)
消滅	소멸	사라질 소	꺼질 멸	(人口消滅, 地方消滅)	
疏明	소명	소통할 소	밝을 명	(充分한 疏明의 機會를 주다)	
燒失	소실	불사를 소	잃을 실	(火災로 文化財가 燒失되다)	

傷害致死	상해치사	다칠 상	해할 해	이를 치	죽을 사

逍遙	소요	노닐 소	멀/소요할 요	(유의어 散步, 散策)
訴願受理	소원수리	호소할/하소연할 소	원할 원	받을 수　　다스릴 리(이)
素材	소재	본디 소	재목/재료 재	(尖端素材)
逍風	소풍	노닐 소	바람 풍	(유의어 消風, 遠足)
召喚	소환	부를 소	부를 환	(警察이 召喚狀을 發付하다)
殺到	쇄도	죽일 살/빠를 쇄	이를 도	(問議 電話가 殺到하다)
衰落	쇠락	쇠할 쇠	떨어질 락(낙)	(病이 들어 衰落한 몸)
水剌	수라	물 수	수라 라(나)	(임금이 먹는 밥)
受領	수령	받을 수	옷깃/받을 령(영)	(유의어 領收)
受侮	수모	받을 수	업신여길 모	(온갖 受侮를 겪다)
首班	수반	머리 수	나눌 반	(大統領이 政府의 首班)
收拾	수습	거둘 수	주울 습	(收拾策)
修習	수습	닦을 수	익힐 습	(修習記者, 修習社員, 修習生)
手腕	수완	손 수	팔뚝 완	
手顫症	수전증	손 수	떨 전　　증세 증	(손떨림증)
羞恥	수치	부끄러울 수	부끄러울 치	
宿題	숙제	잘/오래될 숙	문제 제	(풀어야 할 宿題가 많다)
宿直	숙직	잘 숙	곧을/숙직 직	(유의어 當直)
肅淸	숙청	엄숙할 숙	맑을 청	(反撥勢力을 大擧 肅淸하다)
殉敎	순교	따라죽을 순	가르칠/종교 교	(迫害에 시달리다가 殉敎하다)

瞬息間	순식간	눈깜박일 순 쉴 식	사이 간	(유의어 霎時間)
承服	승복	이을/받들 승 옷/좇을 복	(結果에 承服하다)	
屍身收拾	시신수습	주검 시	몸 신	거둘 수 주울 습
試錐	시추	시험 시	송곳 추	(試錐孔, 試錐船, 試錐裝備)
施行	시행	베풀/실시할 시	다닐/행할 행	(유의어 實施)
食單	식단	밥 식	홑/단자 단	(食單表)
申申當付	신신당부	거듭 신	마땅 당	줄/부탁할 부
呻吟	신음	읊조릴 신	읊을 음	
新陳代謝	신진대사	새 신	베풀 진	대신할 대 사례할 사
甚深	심심	심할 심	깊을 심	(甚深한 謝過)
心肺蘇生術	심폐소생술	마음 심	허파 폐	되살아날 소 살 생, 꾀 술
齷齪	악착	악착할 악	악착할 착	
軋轢	알력	삐걱거릴 알	짓밟을/삐걱거릴 력(역)	
斡旋	알선	돌 알	돌 선	(斡旋收財)
壓卷	압권	누를 압	책 권	(유의어 白眉)
押送	압송	누를 압	보낼 송	(유의어 護送)
怏宿	앙숙	원망할 앙	잘 숙	(怏宿之間)
曖昧模糊	애매모호	희미할 애 어두울 매	본뜰/모호할 모 풀칠할/모호할 호	
野合	야합	들/비천할 야	합할 합	(유의어 內通)
諒解	양해	살펴알 량(양)	풀 해	(諒解覺書)
語弊	어폐	말씀 어	폐단 폐	(말에 語弊가 있다)

語彙	어휘	말씀 어	무리 휘	(語彙集, 語彙 驅使能力)	
憐憫	연민	불쌍히여길 련(연)	불쌍히여길 민		
沿岸埠頭	연안부두	물따라갈 연	언덕 안	부두 부	머리 두
緣坐制	연좌제	인연 연	앉을 좌	절제할/법도 제	(緣坐制로 職業 選擇에 制約을 받다)
厭症	염증	싫어할 염	증세 증		
炎症	염증	불꽃 염	증세 증	(열이 오르고 아픔)	
廉探	염탐	청렴할/살필 렴(염)	찾을 탐		
映像醫學	영상의학	비칠 영	모양 상	의원 의	배울 학
營爲	영위	경영할 영	할 위	(삶의 營爲 方式)	
禮遇	예우	예도 례(예)	만날/ 대우할 우	(前任者에 대한 禮遇)	
壅拙	옹졸	막을 옹	옹졸할 졸		
完璧	완벽	완전할 완	구슬 벽		
緩和	완화	느릴/느슨할 완	화할 화	(緊張緩和策)	
外戚	외척	바깥 외	친척 척	(어머니 쪽의 親戚)	
療養	요양	고칠 료(요)	기를/ 치료할 양	(療養院)	
遙遠	요원	멀 요	멀 원		
夭折	요절	일찍죽을 요	꺾을 절	(享年 26歲에 夭折했다)	
容貌	용모	얼굴 용	모양 모	(容貌端正)	
茸腫	용종	풀날 용	종기 종	(大腸茸腫)	
愚弄	우롱	어리석을 우	희롱할 롱(농)	(유의어 嘲弄)	

憂愁	우수	근심 우	근심 수	(憂愁에 잠기다)		
優雅	우아	넉넉할 우	맑을 아			
憂鬱	우울	근심 우	답답할 울			
怨讐	원수	원망할 원	원수 수	(怨讐를 갚다)		
委囑	위촉	맡길 위	부탁할 촉	(審査委員으로 委囑을 받다)		
遺棄	유기	남길/버릴 유	버릴 기	(屍體를 遺棄하다)		
瑠璃天障	유리천장	유리 류(유)	유리 리(이)	하늘 천	막을 장	
遺傳子	유전자	남길 유	전할 전	아들 자	(遺傳子 操作)	
流札	유찰	흐를 류(유)	편지/뽑을 찰	(반의어 落札)		
乙巳勒約	을사늑약	새 을	뱀 사	굴레 륵(늑)	맺을 약	
淫亂	음란	음란할 음	어지러울 란(난)			
意味深長	의미심장	뜻 의	맛 미	깊을 심	길 장	
儀式	의식	거동/법식 의	법 식	(傳統的인 婚姻 儀式)		
意識	의식	뜻/생각 의	알 식	(意識의 흐름)		
異邦人	이방인	다를 이	나라 방	사람 인		
移替	이체	옮길 이	바꿀 체	(計座移替)		
人工知能	인공지능	사람 인	장인 공	알 지	능할 능	
人口絶壁	인구절벽	사람 인	입 구	끊을 절	벽 벽	
人相着衣	인상착의	사람 인	서로/모양 상	붙을/입을 착	옷 의	
引受引繼	인수인계	끌 인	받을 수	이을 계		
姻戚	인척	혼인 인	친척 척	(婚姻에 의해 맺어진 親戚)		

一括	일괄	한 일	묶을 괄	(一括處理, 一括控除)		
一段落	일단락	한 일	조각 단	떨어질 락(낙)	(事態가 一段落됐다)	
臨迫	임박	임할 임	핍박할/다가올 박	(유의어 迫頭)		
刺戟	자극	찌를 자	창 극			
自敍傳	자서전	스스로 자	차례/펼 서	전할/전기 전	(70歲에 自敍傳을 쓰다)	
自律走行	자율주행	스스로 자	법칙 률(율)	달릴 주	다닐/행할 행	
張本人	장본인	베풀 장	근본 본	사람 인	(유의어 主謀)	
掌握	장악	손바닥 장	쥘 악			
財閥企業	재벌기업	재물 재	문벌 벌	꾀할 기	업 업	
才媛	재원	재주 재	여자 원	(재주가 있는 젊은 女子)		
狙擊	저격	원숭이/노릴 저	칠 격	(狙擊手)		
詛呪	저주	저주할 저	빌 주			
積極的	적극적	쌓을 적	극진할 극	과녁/어조사 적	(반의어 消極的)	
電擊的	전격적	번개 전	칠 격	과녁/어조사 적	(電擊的인 頂上會談)	
典當鋪	전당포	법 전	마땅/저당 당	펼/가게 포		
戰戰兢兢	전전긍긍	싸움 전	떨릴 긍			
前兆現象	전조현상	앞 전	조/조짐 조	나타날 현	코끼리/모양 상	
傳播	전파	전할 전	뿌릴 파	(유의어 普及)		
竊盜	절도	훔칠 절	도둑 도	(贓物)		
節次	절차	마디 절	버금/차례 차	(行政節次)		

點綴	점철	점 점	꿰맬 철	(戰爭으로 點綴된 歷史)
停會	정회	머무를/중지할 정	모일 회	(停會를 宣言하다)
足鎖	족쇄	발 족	쇠사슬 쇄	(罪囚에게 足鎖를 채우다)
拙速	졸속	옹졸할 졸	빠를 속	(拙速行政)
終身雇用	종신고용	마칠 종	몸 신	품팔 고 쓸 용
座右銘	좌우명	자리 좌	오른 우	새길 명 (유의어 motto, 信條)
主管	주관	임금/주인 주	대롱/주관할 관	(政府 主管으로 儀式을 擧行)
周邊	주변	두루 주	가 변	
酒邪	주사	술 주	간사할 사	(酒邪가 심하다, 酒邪를 부리다)
呪術師	주술사	빌 주	재주 술	스승/전문가 사
躊躇	주저	머뭇거릴 주	머뭇거릴 저	
俊秀	준수	준걸 준	빼어날 수	(俊秀한 外貌)
遵守	준수	좇을 준	지킬 수	(安全守則 遵守)
仲裁	중재	버금/가운데 중	마를 재	(= 調停)
地球溫暖化	지구온난화	땅 지, 공 구	따뜻할 온	따뜻할 난 될 화
支援	지원	지탱할 지	도울 원	
陣頭指揮	진두지휘	베풀/진칠 진	머리 두	가리킬 지 휘두를 휘
眞率	진솔	참 진	거느릴/솔직할 솔	(眞率한 對話를 나누다)
進陟	진척	나아갈 진	오를 척	
窒塞	질색	막힐 질	막힐 색	
疾風怒濤	질풍노도	병 질	바람 풍	성낼 노 물결 도

懲戒	징계	징계할 징	경계할 계		
借款	차관	빌릴 차	항목 관	(獨逸에서 借款을 들여오다)	
遮斷	차단	가릴 차	끊을 단	(源泉遮斷)	
茶禮床	차례상	차 다/차 차	예도 례(예)	평상/상 상	
借換發行	차환발행	빌릴 차	바꿀 환	필/행할 발	다닐/행할 행
簒奪	찬탈	빼앗을 찬	빼앗을 탈	(王位簒奪)	
塹壕	참호	구덩이 참	해자 호		
蒼白	창백	푸를 창	흰 백		
剔抉	척결	바를 척	도려낼 결	(腐敗剔抉)	
穿鑿	천착	뚫을 천	뚫을 착	(學問을 깊이 硏究함)	
撤去	철거	거둘 철	갈 거		
撤收	철수	거둘 철	거둘 수	(유의어 後退)	
徹底	철저	통할 철	밑 저		
鐵槌	철퇴	쇠 철	망치 퇴	(鐵槌를 맞다)	
尖兵	첨병	뾰족할 첨	병사 병	(유의어 先鋒將, 앞장)	
請負士	청부사	청할 청	질 부	선비/사내 사	(優勝請負士)
草芥	초개	풀 초	겨자/ 작은풀 개	(목숨을 草芥와 같이 버리다)	
超隔差	초격차	넘을 초	사이뜰 격	다를 차	
超高齡社會	초고령사회	넘을 초	높을 고	나이 령(영)	모일 사, 모일 회
初動搜査	초동수사	처음 초	움직일 동	찾을 수	조사할 사
哨所	초소	망볼 초	바/곳 소	(防犯哨所)	

超連結社會	초연결사회	넘을 초	이을 련(연)	맺을 결	모일 사, 모일 회
促求	촉구	재촉할 촉	구할 구		
促迫	촉박	재촉할/다가올 촉	핍박할/다가올 박	(時日이 너무 促迫하다)	
寸刻	촌각	마디 촌	새길/시각 각	(寸刻을 다투다)	
墜落	추락	떨어질 추	떨어질 락(낙)	(墜落注意)	
推仰	추앙	밀/받들 추	우러를 앙		
醜雜	추잡	추할 추	섞일 잡	(유의어 醜惡)	
追從	추종	쫓을/따를 추	좇을 종	(他의 追從을 不許하다)	
取扱	취급	가질 취	미칠 급		
就準生	취준생	나아갈 취	준할 준	날/사람 생 (就業準備生)	
就寢	취침	나아갈 취	잘 침	(반의어 起床)	
治療	치료	다스릴 치	고칠 료(요)	(無意味한 延命治療)	
置簿	치부	둘 치	장부 부	(그러하다고 보거나 여김)	
浸透	침투	잠길 침	사무칠 투		
他界	타계	다를 타	지경 계	(80歲를 一期로 他界하다)	
耽溺	탐닉	즐길 탐	빠질 닉(익)	(酒色雜技에 耽溺하다)	
太極旗	태극기	클 태	극진할 극	기 기	(太極旗 揭揚式)
退却	퇴각	물러날 퇴	물리칠/물러날 각	(退却命令)	
投機	투기	던질 투	틀/기회 기	(vs 投資)	
偸薄	투박	훔칠/야박할 투	엷을/야박할 박	(偸薄한 사투리)	

罷免	파면	마칠 파	면할 면	(罷免, 解任 等 重懲戒)
把守	파수	잡을 파	지킬 수	(把守꾼)
把握	파악	잡을 파	쥘 악	
覇氣	패기	으뜸 패	기운 기	(覇氣와 情熱)
澎湃	팽배	물소리 팽	물결칠 배	
遍歷	편력	두루 편	지날 력(역)	(그녀만큼 男性 遍歷이 많은 女子도 드물다)
便宜	편의	편할 편	마땅 의	(便宜店)
葡萄糖	포도당	포도 포	포도 도 엿 당	
抛物線	포물선	던질 포	물건 물 줄 선	
咆哮	포효	고함지를 포	성낼 효	
暴炎	폭염	사나울 폭	더울 염	(유의어 暴暑)
豊饒	풍요	풍년 풍	넉넉할 요	(= 豊裕)
匹敵	필적	짝 필	대적할 적	(유의어 比肩)
學校暴力	학교폭력	배울 학	학교 교 사나울 폭 힘 력(역)	
學而時習之 不亦說乎	학이시습지 불역열호	배울 학, 말이을 이	때 시, 익힐 습	갈/어조사 또 역, 말씀 지, 아닐 불 설/기쁠 열, 어조사 호
邯鄲之夢	한단지몽	조나라서울 한	조나라서울 단	갈/어조사 꿈 몽 지
閑良	한량	한가할 한	어질 량(양)	
緘口令	함구령	봉할 함	입 구	하여금 령(영)
陷落	함락	빠질 함	떨어질 락 (낙)	(不攻陷落)
抗卞	항변	겨룰 항	법 변	(유의어 反對, 抗議)

抗議	항의	겨룰 항	의논할/주장 의	(유의어 抗卞)
解剖	해부	풀 해	쪼갤 부	(解剖學)
解弛	해이	풀 해	늦출 이	(道德的解弛)
諧謔	해학	화할 해	희롱할 학	(諷刺와 諧謔)
行脚	행각	다닐 행	다리/밟을 각	(愛情行脚)
行次	행차	다닐 행	버금 차	(임금이 陵에 行次함)
行悖	행패	다닐/행할 행	거스를 패	(술을 마시고 行悖를 부리다)
虛無孟浪	허무맹랑	빌 허	없을 무	맏/맹랑할 맹 물결 랑(낭)
衒學的	현학적	자랑할 현	배울 학	과녁/어조사 적
衡平性	형평성	저울대 형	평평할 평	성품 성
惠諒	혜량	은혜 혜	참될/살펴 알 량(양)	('살펴서 理解하다'의 뜻으로 便紙에서 씀)
昏迷	혼미	어두울 혼	미혹할 미	(昏迷狀態)
換氣	환기	바꿀 환	기운/공기 기	(換氣裝置)
喚起	환기	부를 환	일어날 기	(關心을 喚起시키다)
荒唐無稽	황당무계	거칠 황	당나라/당황할 당	없을 무 상고할 계
橫領	횡령	가로/제멋대로 횡	옷깃/거느릴 령(영)	(公金橫領)
嚆矢	효시	울릴 효	화살 시	
休憩	휴게	쉴 휴	쉴 게	(休憩所)
欽慕	흠모	공경할 흠	그릴 모	(欽慕의 對象)

제2장 빈출어

家家戶戶	가가호호	집 가	집 호		
家計負債	가계부채	집 가	셀 계	질 부	빚 채
可鍛性	가단성	옳을/가히 가	불릴 단	성품/성질 성	
街談巷說	가담항설	거리 가	말씀 담	거리 항	말씀 설
稼動	가동	일할 가	움직일 동	(設備 稼動率)	
街頭行進	가두행진	거리 가	머리 두	다닐 행	나아갈 진
可憐	가련	옳을/가히 가	불쌍히여길 련(연)	(淸純可憐型)	
苛斂誅求	가렴주구	가혹할 가	거둘 렴(염)	벨 주	구할 구
駕馬	가마	멍에 가	말 마		
家父長制	가부장제	집 가	아비 부	길/우두머리 장	절제할/법도 제
假拂	가불	거짓/임시 가	떨칠/치를 불	(俸給을 假拂하다)	
歌詞	가사	노래 가	말 사	(노랫말)	
可塑性	가소성	옳을/가히 가	흙빚을 소	성품/성질 성	(plasticity)
歌謠舞臺	가요무대	노래 가	노래 요	춤출 무	대 대
佳人薄命	가인박명	아름다울 가	사람 인	엷을 박	목숨 명
呵責	가책	꾸짖을 가	꾸짖을 책	(良心의 呵責)	
家宅軟禁	가택연금	집 가	집 택	연할 연	금할 금
加護	가호	더할 가	도울 호	(神의 加護가 있기를!)	
苛酷	가혹	가혹할 가	심할 혹	(苛酷行爲)	

刻骨難忘	각골난망	새길 각	뼈 골	어려울 난	잊을 망
脚光	각광	다리 각	빛 광	(유의어 注目)	
閣僚	각료	집/내각 각	동료 료(요)		
刻薄	각박	새길 각	엷을 박	(아주 吝嗇함)	
脚本	각본	다리 각	근본 본	(유의어 劇本)	
脚色	각색	다리 각	빛 색	(小說을 TV 미니시리즈로 脚色하다)	
脚線美	각선미	다리 각	줄 선	아름다울 미	
覺醒	각성	깨달을 각	깰 성	(大悟覺醒)	
各樣各色	각양각색	각각 각	모양 양	빛 색	
覺悟	각오	깨달을 각	깨달을 오	(覺悟를 새롭게 하다)	
刻印	각인	새길 각	도장 인		
各自圖生	각자도생	각각 각	스스로 자	그릴 도	날/살 생
角者無齒	각자무치	뿔 각	놈 자	없을 무	이 치
刻舟求劍	각주구검	새길 각	배 주	구할 구	칼 검
却下	각하	물리칠 각	아래 하	(上告却下, 반의어 受理)	
懇求	간구	간절할 간	구할 구	(유의어 懇願)	
間隙	간극	사이 간	틈 극	(유의어 間隔)	
艱難辛苦	간난신고	어려울 간	어려울 난	매울 신	쓸 고
肝腦	간뇌	간 간	골 뇌	(肝腦塗地: 나랏일을 위해 온 힘을 다함)	
簡單明瞭	간단명료	대쪽/간략할 간	홑 단	밝을 명	밝을 료(요)
肝膽相照	간담상조	간 간	쓸개 담	서로 상	비칠 조

懇談會	간담회	간절할 간	말씀 담	모일 회	
幹事	간사	줄기 간	일 사		
奸詐	간사	간사할 간	속일 사	(言論의 奸詐한 屬性)	
奸邪	간사	간사할 간	간사할 사	(奸邪한 속임수)	
諫言	간언	간할 간	말씀 언	(朝鮮時代 司諫院)	
簡易驛	간이역	대쪽/간략할 간	바꿀 역/쉬울 이	역 역	
看做	간주	볼 간	지을 주		
間諜	간첩	사이 간	염탐할 첩	(固定間諜)	
簡體字	간체자	대쪽/간략할 간	몸 체	글자 자	(vs 繁體字)
揀擇	간택	가릴 간	가릴 택	(유의어 揀選)	
間歇	간헐	사이 간	쉴 헐	(間歇的 斷食)	
葛藤	갈등	칡 갈	등나무 등	(世代葛藤)	
渴望	갈망	목마를 갈	바랄 망		
褐色	갈색	갈색 갈	빛 색		
喝采	갈채	꾸짖을/고함칠 갈	풍채 채	(拍手喝采)	
喝取	갈취	꾸짖을 갈	가질 취	(金品喝取)	
減價償却費	감가상각비	덜 감, 값 가	갚을 상	물리칠 각	쓸 비
感慨無量	감개무량	느낄 감	슬퍼할 개	없을 무	헤아릴 량(양)
監禁	감금	볼/살필 감	금할 금	(不法監禁)	
堪耐	감내	견딜 감	견딜 내	(유의어 堪當)	
監督	감독	볼/살필 감	감독할 독	(映畵監督)	

監修	감수	볼/살필 감	닦을/고칠 수		
感受性	감수성	느낄 감	받을 수	성품 성	
鑑識	감식	거울/살필 감	알 식	(遺傳子鑑識)	
甘言利說	감언이설	달 감	말씀 언	날카로울/이로울 리(이)	말씀 설
感染	감염	느낄 감	물들 염	(感染病)	
監獄	감옥	볼/감옥 감	옥 옥		
感情移入	감정이입	느낄 감	뜻 정	옮길 이	들 입
鑑定評價	감정평가	거울/살필 감	정할 정	평할 평	값 가
感之德之	감지덕지	느낄 감	갈/어조사 지	클/덕 덕	
減縮	감축	덜 감	줄일 축	(豫算減縮)	
感歎	감탄	느낄 감	탄식할 탄	(感歎詞)	
甘呑苦吐	감탄고토	달 감	삼킬 탄	쓸 고	토할 토
感懷	감회	느낄 감	품을 회	(이곳에 오니 感懷가 새롭다)	
甲男乙女	갑남을녀	갑옷 갑	사내 남	새 을	여자 녀(여)
甲論乙駁	갑론을박	갑옷 갑	논할 론(논)	새 을	논박할 박
甲富	갑부	갑옷/첫째 갑	부유할 부	(유의어 巨富)	
甲狀腺	갑상선	갑옷 갑	형상 상	샘 선	(甲狀腺疾患)
講究	강구	외울/연구할 강	연구할 구	(對策을 講究하다)	
剛斷	강단	굳셀 강	끊을 단	(그는 剛斷이 있는 사람이다)	
綱領	강령	벼리 강	옷깃 령(영)	(敎育綱領, 行動綱領)	
強迫觀念	강박관념	강할 강	핍박할 박	볼 관	생각 념(염)

强占期	강점기	강할 강	점령할 점	기약할/기간 (日帝强占期) 기
剛悍	강한	굳셀 강	사나울 한	
講和	강화	외울/화해할 화할 화 강		(講和條約, 講和條件)
介潔	개결	낄/강직할 개	깨끗할 결	
改過遷善	개과천선	고칠 개	지날/잘못 과	옮길/달라질 착할 선 천
概括	개괄	대개 개	묶을 괄	
開封迫頭	개봉박두	열 개	봉할 봉	핍박할/다가올 머리 두 박
凱旋	개선	개선할 개	돌 선	(凱旋將軍)
蓋然	개연	덮을 개	그럴 연	
介意	개의	낄 개	뜻 의	(그의 말에 介意치 않다)
介在	개재	낄 개	있을 재	
改悛	개전	고칠 개	고칠 전	(改悛의 情)
開陳	개진	열 개	베풀 진	(意見을 開陣하다)
開拓	개척	열 개	넓힐 척	(開拓精神)
慨歎	개탄	슬퍼할 개	탄식할 탄	
改編	개편	고칠 개	엮을 편	(組織改編)
開港	개항	열 개	항구 항	
改革	개혁	고칠 개	가죽/고칠 혁	
客反爲主	객반위주	손 객	돌이킬 반	할/될 위 주인 주
更新	갱신	고칠 경/ 다시 갱	새 신	(旅券更新)
居間	거간	살 거	사이 간	(居間꾼)

去頭截尾	거두절미	갈/버릴 거	머리 두	끊을 절	꼬리 미
距離	거리	상거할 거	떠날 리(이)		
車馬費	거마비	수레 차/ 수레 거	말 마	쓸/비용 비	(유의어 交通費)
倨慢	거만	거만할 거	거만할 만		
居安思危	거안사위	살 거	편안 안	생각 사	위태할 위
擧案齊眉	거안제미	들 거	책상 안	가지런할 제	눈썹 미
拒逆	거역	막을 거	거스를 역	(上官의 命令을 拒逆하다)	
車裂刑	거열형	수레 차/ 수레 거	찢을 렬(열)	형벌 형	(車裂刑으로 죽은 死六臣)
去者必返	거자필반	갈 거	놈 자	반드시 필	돌이킬 반
巨匠	거장	클 거	장인 장		
去就	거취	갈 거	나아갈 취	(去就를 表明하다)	
据置臺	거치대	근거 거	둘 치	대 대	
健康	건강	굳셀 건	편안 강	(健康檢診)	
乾坤坎離	건곤감리	하늘 건	땅 곤	구덩이 감	떠날 리(이)
乾坤一擲	건곤일척	하늘 건	땅 곤	한 일	던질 척
乾達牌	건달패	하늘/마를 건	통달할/ 방자할 달	패 패	
乾杯	건배	하늘/마를 건	잔 배		
建陽多慶	건양다경	세울 건	볕 양	많을 다	경사 경
建議	건의	세울 건	의논할 의	(建議事項)	
乾電池	건전지	하늘/마를 건	번개 전	못 지	
乾燥	건조	하늘/마를 건	마를 조		

檢擧	검거	검사할 검	들 거	(犯人檢擧)
檢索	검색	검사할 검	찾을 색	(實時間檢索順位)
儉素	검소	검소할 검	흴 소	(奢侈의 반의어)
檢數	검수	검사할 검	셈 수	(在庫量을 檢數하다)
檢修	검수	검사할 검	닦을/고칠 수	(故障난 핸드폰을 檢修하다)
檢疫	검역	검사할 검	전염병 역	
檢診	검진	검사할 검	진찰할 진	(健康檢診)
檢察	검찰	검사할 검	살필 찰	
劫迫	겁박	위협할 겁	핍박할 박	
揭示板	게시판	높이들 게	보일 시	널빤지 판
揭揚	게양	높이들 게	날릴/올릴 양	(弔旗를 揭揚하다)
揭載	게재	높이들 게	실을 재	(新聞에 謝過文을 揭載하다)
激浪	격랑	격할 격	물결 랑(낭)	(소용돌이치는 激浪의 時代)
激勵	격려	격할 격	힘쓸 려(여)	
激烈	격렬	격할 격	세찰 렬(열)	
隔離	격리	사이뜰 격	떠날 리(이)	(隔離措置)
檄文	격문	격문 격	글월 문	(義兵을 募集하는 檄文을 붙이다)
格物致知	격물치지	격식 격	물건 물	이를 치　　　알 지
隔世之感	격세지감	사이뜰 격	인간 세	갈/어조사 지 느낄 감
激昂	격앙	격할 격	밝을/높을 앙	(激昂된 語調로 소리치다)
隔差	격차	사이뜰 격	다를 차	(所得隔差)

擊沈	격침	칠 격	잠길 침	(敵艦을 擊沈하다)	
隔靴搔癢	격화소양	사이뜰 격	신 화	긁을 소	가려울 양
激化一路	격화일로	격할 격	될 화	한 일	길 로(노)
牽强附會	견강부회	이끌 견	강할 강	붙을 부	모일 회
見利思義	견리사의	볼 견	날카로울/ 이로울 리(이)	생각 사	옳을 의
犬馬之勞	견마지로	개 견	말 마	갈/어조사 지	일할 로(노)
見蚊拔劍	견문발검	볼 견	모기 문	뽑을 발	칼 검
見物生心	견물생심	볼 견	물건 물	날 생	마음 심
犬猿之間	견원지간	개 견	원숭이 원	갈/어조사 지	사이 간
見危致命	견위치명	볼 견	위태할 위	이를/내줄 치	목숨 명
牽引	견인	이끌 견	끌 인	(牽引車)	
堅忍不拔	견인불발	굳을 견	참을 인	아닐 불	뽑을 발
見積	견적	볼 견	쌓을 적	(어림셈, 見積을 내다)	
牽制	견제	이끌 견	절제할 제	(新進勢力을 牽制하다)	
堅持	견지	굳을 견	가질 지		
譴責	견책	꾸짖을 견	꾸짖을 책	(解任, 停職, 譴責 등의 處罰)	
決裂	결렬	결단할 결	찢을 렬(열)	(勞使協商이 決裂되다)	
結縛	결박	맺을 결	얽을 박		
潔白	결백	깨끗할 결	흰 백	(淸廉潔白)	
潔癖症	결벽증	깨끗할 결	버릇 벽	증세 증	(潔癖症이 코로나로 심해져)

訣別	결별	이별할 결	나눌 별		
決死反對	결사반대	결단할 결	죽을 사	돌이킬 반	대할 대
結者解之	결자해지	맺을 결	놈 자	풀 해	갈/어조사 지
決裁	결재	결단할 결	마를 재	(電子決裁)	
決濟	결제	결단할 결	건널 제	(카드決濟)	
結晶體	결정체	맺을 결	수정 정	몸 체	
結草報恩	결초보은	맺을 결	풀 초	알릴/갚을 보	은혜 은
缺乏	결핍	이지러질 결	모자랄 핍	(營養缺乏)	
缺陷	결함	이지러질 결	빠질 함	(品質缺陷)	
謙遜	겸손	겸손할 겸	겸손할 손		
謙讓之德	겸양지덕	겸손할 겸	사양할 양	갈/어조사 지	클/덕 덕
頃刻	경각	이랑/잠깐 경	새길 각		
警覺心	경각심	경계할/깨우칠 경	깨달을 각	마음 심	
輕減	경감	가벼울 경	덜 감		
輕擧妄動	경거망동	가벼울 경	들 거	망령될 망	움직일 동
敬虔	경건	공경 경	공경할 건		
境界	경계	지경 경	지경 계		
警告	경고	경계할 경	고할 고	(警告處分)	
經口投藥	경구투약	지날 경	입 구	던질 투	약 약
傾國之色	경국지색	기울 경	나라 국	갈/어조사 지	빛 색
景氣	경기	볕 경	기운 기		

經歷斷絕	경력단절	지날 경	지날 력(역)	끊을 단	끊을 절
痙攣	경련	경련 경	걸릴/경련할 련(연)		
敬老孝親	경로효친	공경 경	늙을 로(노)	효도 효	친할/어버이 친
經綸	경륜	지날/경영할 경	벼리 륜(윤)	(世上을 다스림)	
輕蔑	경멸	가벼울 경	업신여길 멸		
輕薄短小	경박단소	가벼울 경	엷을 박	짧을 단	작을 소
敬拜	경배	공경 경	절 배		
梗塞	경색	줄기/막힐 경	변방 새/막힐 색	(政局 梗塞을 풀다)	
競選	경선	다툴 경	가릴 선		
輕率	경솔	가벼울 경	거느릴/경솔할 솔	(반의어 愼重)	
驚愕	경악	놀랄 경	놀랄 악	(驚愕을 禁할 수 없다)	
經筵	경연	지날/경서 경	대자리 연	(임금의 學問研磨를 위해 學識이 높은 臣下가 講論하던 일)	
經緯	경위	지날/날 경	씨 위	(經緯書)	
經由	경유	지날 경	말미암을/행할 유	(經由地)	
警笛	경적	경계할 경	피리 적	(自動車 警笛)	
傾注	경주	기울 경	부을 주	(努力을 傾注하다)	
硬直	경직	굳을 경	곧을 직	(硬直된 思考)	
更迭	경질	고칠 경	번갈아들 질	(이번 일로 長官이 更迭되다)	
驚天動地	경천동지	놀랄 경	하늘 천	움직일 동	땅 지
敬天愛人	경천애인	공경 경	하늘 천	사랑 애	사람 인
驚蟄	경칩	놀랄 경	동면할/숨을 칩	(24節氣의 하나, 雨水와 春分 사이)	

景品附販賣	경품부판매	볕 경	물건 품	붙을 부	팔 판, 팔 매
競合	경합	다툴 경	합할/싸울 합 (유의어 競爭)		
經驗	경험	지날 경	시험 험		
警護處	경호처	경계할 경	도울/보호할 호	곳/관서 처	(大統領警護處)
驚惶	경황	놀랄 경	두려울 황	(驚惶失色하다)	
景況	경황	볕 경	상황 황	(景況이 없다)	
契機	계기	맺을 계	틀/계기 기		
啓導	계도	열/일깨워줄 계	인도할 도	(啓導期間)	
鷄卵有骨	계란유골	닭 계	알 란	있을 유	뼈 골
繫留	계류	맬 계	머무를 류(유) (法案이 國會에 繫留 中이다)		
鷄肋	계륵	닭 계	갈빗대 륵(늑) (버리기에는 아까우나 그다지 쓸모가 없음)		
鷄鳴狗盜	계명구도	닭 계	울 명	개 구	도둑 도
啓蒙	계몽	열 계	어두울 몽		
系譜	계보	맬/이을 계	족보 보	(系譜를 잇다)	
計算	계산	셀 계	셈 산		
繼續	계속	이을 계	이을 속	(繼續雇傭)	
契約	계약	맺을 계	맺을 약		
階梯	계제	섬돌 계	사다리 제	(이번 階梯에 …할 생각이다)	
計劃	계획	셀/꾀할 계	그을 획		
枯渴	고갈	마를 고	목마를 갈	(資源枯渴)	
顧客	고객	돌아볼 고	손 객		

高官大爵	고관대작	높을 고	벼슬 관	큰 대	벼슬 작
股關節	고관절	넓적다리 고	관계할 관	마디 절	(股關節 骨折)
孤軍奮鬪	고군분투	외로울 고	군사 군	떨칠 분	싸울 투
苦惱	고뇌	쓸/애쓸 고	번뇌할 뇌		
鼓動	고동	북 고	움직일 동	(心臟鼓動)	
孤立無援	고립무원	외로울 고	설 립(입)	없을 무	도울 원
鼓舞的	고무적	북 고	춤출 무	과녁/어조사 적	(鼓舞的 信號)
拷問	고문	칠 고	물을 문	(拷問禁止宣言)	
苦悶	고민	쓸 고	답답할 민		
鼓腹擊壤	고복격양	북 고	배 복	칠 격	흙덩이 양
古墳	고분	예 고	무덤 분		
告祀	고사	고할 고	제사 사		
固辭	고사	굳을 고	말씀/사양할 사	(總理를 맡아 달라는 付託을 固辭하다)	
古色蒼然	고색창연	예 고	빛 색	푸를 창	그럴 연
告訴告發	고소고발	고할 고	호소할 소	필/쏠 발	
姑息之計	고식지계	시어머니/잠시 고	쉴 식	갈/어조사 지	꾀 계
雇傭	고용	품팔 고	품팔 용	(雇傭保險)	
苦肉之策	고육지책	쓸 고	고기 육	갈/어조사 지	꾀 책
故意	고의	연고/일부러 고	뜻 의	(이번 事故는 故意가 아니라 過失이었음)	
鼓子	고자	북 고	아들 자	(生殖器가 不完全한 男子)	
故障	고장	연고 고	막을 장		

孤掌難鳴	고장난명	외로울 고	손바닥 장	어려울 난	울 명
高調	고조	높을 고	고를/가락 조	(緊張이 高調되다)	
苦盡甘來	고진감래	쓸 고	다할 진	달 감	올 래(내)
痼疾病	고질병	고질 고	병 질	병 병	
苦衷	고충	쓸 고	속마음 충		
鼓吹	고취	북 고	불 취	(愛國心 鼓吹)	
苦痛	고통	쓸 고	아플 통		
高喊	고함	높을 고	소리칠 함		
告解聖事	고해성사	고할 고	풀 해	성인 성	일 사
睾丸	고환	불알 고	둥글 환		
古稀	고희	옛 고	드물 희	(70세, 77세 喜壽, 88세 米壽)	
曲學阿世	곡학아세	굽을 곡	배울 학	언덕/아첨할 아	인간 세
袞龍袍	곤룡포	곤룡포 곤	용 룡(용)	도포 포	
困辱	곤욕	곤할 곤	욕될 욕	(큰 困辱을 치르다)	
昆蟲	곤충	맏/벌레 곤	벌레 충	(昆蟲採集)	
困惑	곤혹	곤할 곤	미혹할 혹	(困惑스러운 質問)	
骨多孔症	골다공증	뼈 골	많을 다	구멍 공	증세 증
骨董品	골동품	뼈 골	바로잡을/거둘 동	물건 품	(骨董品蒐集)
骨髓分子	골수분자	뼈 골	뼛골 수	나눌 분	아들/사람 자
骨肉相殘	골육상잔	뼈 골	고기 육	서로 상	잔인할/해칠 잔
骨肉相爭	골육상쟁	뼈 골	고기 육	서로 상	다툴 쟁
共感	공감	함께 공	느낄 감	(共感이 가다)	

公共	공공	공평할 공	함께 공	(公共秩序)	
供給	공급	이바지할 공	줄 급	(vs 需要)	
共同施工	공동시공	함께 공	한가지/함께 동	베풀 시	장인/일 공
空洞化	공동화	빌 공	골 동	될 화	(都心空洞化)
空欄	공란	빌 공	난간 란(난)		
公明正大	공명정대	공평할 공	밝을 명	바를 정	큰 대
共謀	공모	함께 공	꾀 모		
公僕	공복	공평할 공	종 복	(유의어 公務員, 公職者)	
工夫	공부	장인 공	지아비/사내 부	(熱心히 工夫하다)	
公私多忙	공사다망	공평할 공	사사 사	많을 다	바쁠 망
公算	공산	공평할 공	셈 산	(確率)	
恭遜	공손	공손할 공	겸손할 손		
空輸部隊	공수부대	빌/하늘 공	보낼 수	떼 부	무리 대
公示地價	공시지가	공평할 공	보일 시	땅 지	값 가
供養	공양	이바지할 공	기를/봉양 양	(부처 앞에 飮食이나 財物을 바침)	
公演	공연	공평할 공	펼 연	(演劇公演)	
共有經濟	공유경제	한가지/함께 공	있을 유	지날 경	건널 제
工程表	공정표	장인 공	한도/길 정	겉/표 표	
控除	공제	당길 공	덜 제	(所得控除, 稅額控除)	
公主	공주	공평할 공	임금 주	(皇后 몸에서 태어난 임금의 딸)	
公薦	공천	공평할 공	천거할 천	(公薦非理)	
供出	공출	이바지할 공	날 출	(日帝는 供出과 徵用으로 우리를 괴롭혔다)	

公平無私	공평무사	공평할 공	평평할 평	없을 무	사사로울 사
恐怖	공포	두려울 공	두려워할 포		
貢獻	공헌	바칠 공	드릴 헌	(社會貢獻)	
恐慌障碍	공황장애	두려울 공	어리둥절할 황	막을 장	거리낄 애
果敢	과감	실과/과감할 과	감히 감		
過恭非禮	과공비례	지날 과	공손할 공	아닐 비	예도 례(예)
瓜年	과년	오이/익을 과	해 년(연)	(瓜年한 處子)	
果斷性	과단성	실과/과감할 과	끊을 단	성품 성	
誇大妄想	과대망상	자랑할 과	큰 대	망령될 망	생각 상
過負荷	과부하	지날/지나칠 과	질 부	멜 하	(過負荷電流)
誇示	과시	자랑할 과	보일 시		
過失相規	과실상규	지날/잘못 과	잃을/잘못 실	서로 상	법/바로잡을 규
過失致死	과실치사	지날/잘못 과	잃을/잘못 실	이를 치	죽을 사
過猶不及	과유불급	지날/지나칠 과	같을 유	아닐 불	미칠 급
過剩搜査	과잉수사	지날/지나칠 과	남을 잉	찾을 수	조사할 사
誇張	과장	자랑할 과	베풀 장		
瓜田不納履	과전불납리	오이 과	밭 전, 아닐 불	들일 납	밟을 리(이)
寡占	과점	적을 과	점칠/점령할 점		
課程	과정	공부할 과	한도/길 정		
課徵金	과징금	공부할/매길 과	부를 징	쇠 금	(課徵金을 賦課하다)
過怠料	과태료	지날 과	게으를 태	헤아릴/값 료(요)	

官等姓名	관등성명	벼슬 관	무리/등급 등 성씨 성		이름 명
慣例	관례	익숙할 관	법식 례(예)		
貫祿	관록	꿸 관	녹 록(녹)	(相當한 經歷으로 생긴 威嚴이나 權威)	
官僚制	관료제	벼슬 관	동료 료(요)	절제할/지을 제	
管理	관리	대롱/주관할 관	다스릴 리(이)		
慣性	관성	익숙할 관	성품/성질 성	(慣性의 法則)	
官衙	관아	벼슬 관	마을 아		
慣用表現	관용표현	익숙할 관	쓸 용	겉 표	나타날 현
管掌	관장	대롱/주관할 관	손바닥/주관할 장	(業務管掌能力)	
官邸	관저	벼슬 관	집 저		
關節	관절	관계할 관	마디 절		
關種	관종	관계할 관	씨 종	('關心種子'의 준말, 關種病)	
觀察	관찰	볼 관	살필 찰	(自然 觀察)	
貫徹	관철	꿸 관	통할 철		
官廳	관청	벼슬 관	관청 청		
觀測	관측	볼 관	헤아릴 측	(氣象觀測)	
管鮑之交	관포지교	대롱 관	절인물고기 포	갈/어조사 지	사귈 교
管轄	관할	대롱/주관할 관	다스릴 할		
冠婚喪祭	관혼상제	갓 관	혼인할 혼	잃을 상	제사 제
刮目相對	괄목상대	눈비빌 괄 눈 목		서로 상	대할 대
恝視	괄시	근심없을/푸대접할 괄	볼 시		
廣告	광고	넓을 광	고할 고		

光棍節	광곤절	빛 광	몽둥이/건달 곤	마디/행사 절 (광군제(11/11): 中國의 Black Friday)
狂亂	광란	미칠 광	어지러울 란(난)	(狂亂의 도가니)
鑛物	광물	쇳돌 광	물건 물	(6大 核心鑛物: 리튬, 니켈, 코발트, 黑鉛, 稀土類, 白金族)
狂奔	광분	미칠 광	달릴 분	
廣闊	광활	넓을 광	넓을 활	
掛圖	괘도	걸 괘	그림 도	
乖離	괴리	어그러질 괴	떠날 리(이)	(現實과 理想의 乖離)
壞滅	괴멸	무너질 괴	꺼질 멸	
怪物	괴물	괴이할 괴	물건 물	
壞死	괴사	무너질 괴	죽을 사	
怪常罔測	괴상망측	괴이할 괴	항상 상	그물/없을 망 헤아릴 측
矯角殺牛	교각살우	바로잡을 교	뿔 각	죽일 살 소 우
橋頭堡	교두보	다리 교	머리 두	작은성 보
攪亂	교란	흔들 교	어지러울 란(난)	(攪亂作戰)
驕慢	교만	교만할 교	거만할 만	(驕慢 放恣하다)
巧妙	교묘	공교할 교	묘할 묘	
交付金	교부금	사귈 교	줄 부	쇠 금 (敎育 交付金)
敎唆	교사	가르칠 교	부추길 사	(殺人敎唆, 僞證敎唆)
絞首	교수	목맬 교	머리 수	(絞首刑)
巧言令色	교언영색	공교할 교	말씀 언	하여금 령(영) 빛 색
郊外	교외	들 교	바깥 외	

交友以信	교우이신	사귈 교	벗 우	써 이	믿을 신
餃子	교자	떡 교	아들 자	(찐 고기만두나 물만두)	
矯正	교정	바로잡을 교	바를 정		
校訂	교정	학교/교정할 교	바로잡을 정	(出版物 校訂)	
交際	교제	사귈 교	사귈 제		
交叉路	교차로	사귈 교	갈래 차	길 로(노)	
膠着	교착	아교 교	붙을 착	(膠着狀態)	
交替	교체	사귈 교	바꿀 체	(選手交替)	
狡兔三窟	교토삼굴	교활할 교	토끼 토	석 삼	굴 굴
教鞭	교편	가르칠 교	채찍 편	(教鞭을 잡다)	
僑胞	교포	더부살이 교	세포/친형제 포	(在美僑胞)	
教學相長	교학상장	가르칠 교	배울 학	서로 상	길 장
交換	교환	사귈 교	바꿀 환	(物物交換)	
狡猾	교활	교활할 교	교활할 활		
口腔	구강	입 구	속빌 강	(口腔癌)	
句句節節	구구절절	글귀 구	마디 절		
驅魔儀式	구마의식	몰 구	마귀 마	거동 의	법 식
購買	구매	살 구	살 매		
口蜜腹劍	구밀복검	입 구	꿀 밀	배 복	칼 검
驅迫	구박	몰 구	핍박할 박		
區分	구분	구분할 구	나눌 분		
驅使	구사	몰 구	하여금/부릴 사	(驅使 能力)	

九死一生	구사일생	아홉 구	죽을 사	한 일	날 생
求償權	구상권	구할 구	갚을 상	권세/권리 권	(求償權 請求)
口尙乳臭	구상유취	입구	오히려/아직 상	젖 유	냄새 취
拘束	구속	잡을 구	묶을 속	(拘束適否審)	
求心點	구심점	구할 구	마음/중심 심	점 점	(求心點 役割을 하다)
拘礙	구애	잡을 구	거리낄 애		
九牛一毛	구우일모	아홉 구	소 우	한 일	털 모
救援	구원	구원할 구	도울 원		
九折羊腸	구절양장	아홉 구	꺾을 절	양 양	창자 장
驅除	구제	몰 구	덜 제	(害蟲驅除)	
救濟	구제	구원할 구	건널 제	(貧困救濟)	
九重宮闕	구중궁궐	아홉 구	무거울 중	집 궁	대궐 궐
九尺長身	구척장신	아홉 구	자 척	길 장	몸 신
驅逐艦	구축함	몰 구	쫓을 축	큰배 함	(destroyer)
毆打	구타	때릴 구	칠 타		
嘔吐	구토	게울 구	토할 토		
口號	구호	입구	이름 호		
口禍之門	구화지문	입구	재앙 화	갈/어조사 지	문 문
救荒作物	구황작물	구원할 구	거칠 황	지을 작	물건 물
救恤	구휼	구원할 구	불쌍할 휼		
國粹主義	국수주의	나라 국	순수할 수	임금/주인 주	옳을 의
國威宣揚	국위선양	나라 국	위엄 위	베풀 선	날릴 양

國籍	국적	나라 국	문서 적		
國際收支	국제수지	나라 국	사귈 제	거둘 수	지탱할 지
群鷄一鶴	군계일학	무리 군	닭 계	한 일	학 학
群落	군락	무리 군	떨어질/ 마을 락(낙)	(소나무 群落地)	
軍令泰山	군령태산	군사/군대 군	하여금/명령 령(영)	클 태	메 산
群盲評象	군맹평상	무리 군	맹인 맹	평할 평	코끼리 상
君臣有義	군신유의	임금 군	신하 신	있을 유	옳을 의
群雄割據	군웅할거	무리 군	수컷 웅	벨 할	근거 거
君爲臣綱	군위신강	임금 군	할/될 위	신하 신	벼리 강
君子不器	군자불기	임금/군자 군	아들 자	아닐 불	그릇/재능 기
君子和而 不同	군자화이 부동	임금/군자 군, 아들 자	화할 화	말이을 이, 아닐 불(부)	한가지 동
屈曲	굴곡	굽힐 굴	굽을 곡	(屈曲도 波瀾도 많았던 삶)	
崛起	굴기	우뚝솟을 굴	일어날 기	(시진핑 'AI 崛起' 特命)	
屈伏	굴복	굽힐 굴	엎드릴 복		
屈辱	굴욕	굽힐 굴	욕될 욕	(屈辱感)	
屈指	굴지	굽힐 굴	가리킬/손가락 지		
窮僻	궁벽	다할 궁	궁벽할 벽	(窮僻한 산골)	
窮狀	궁상	다할/궁할 궁	형상 상	(窮狀맞다)	
窮鼠齧猫	궁서설묘	다할 궁	쥐 서	물 설	고양이 묘
窮餘之策	궁여지책	다할 궁	남을 여	갈/어조사 지 꾀 책	
窮乏	궁핍	다할/궁할 궁	모자랄 핍	(유의어 窮塞, 貧困)	

權謀術數	권모술수	권세 권	꾀 모	재주 술	셈 수
權不十年	권불십년	권세 권	아닐 불	열 십	해 년(연)
勸善懲惡	권선징악	권할 권	착할 선	징계할 징	악할 악
勸誘	권유	권할 권	꾈 유		
勸奬	권장	권할 권	장려할 장		
倦怠	권태	게으를 권	게으를 태		
捲土重來	권토중래	거둘/말 권	흙 토	무거울/또다시 올 래(내)	
				중	
蹶起	궐기	넘어질/	일어날 기	(蹶起大會)	
		일어설 궐			
闕席裁判	궐석재판	대궐/이지러	자리 석	마를 재	판단할 판
		질 궐			
闕位	궐위	대궐/이지러	자리 위	(大統領의 闕位 時에는	
		질 궐		國務總理가 代行)	
軌道	궤도	바퀴자국	길 도	(軌道離脫)	
		궤			
潰滅	궤멸	무너질 궤	꺼질 멸		
詭辯	궤변	속일 궤	말씀 변		
潰瘍	궤양	무너질 궤	헐 양	(胃潰瘍)	
軌跡	궤적	바퀴자국	자취 적		
		궤			
龜鑑	귀감	거북 귀	거울 감	(事物의 본보기)	
歸順	귀순	돌아갈 귀	순할 순	(歸順兵, 歸順者, 유의어 投降)	
歸趨	귀추	돌아갈 귀	달아날 추	(歸趨가 注目된다)	
歸鄕	귀향	돌아갈 귀	시골/고향 향		
歸還	귀환	돌아갈/	돌아올 환		
		돌아올 귀			
糾明	규명	얽힐/조사할	밝을 명	(眞相糾明)	
		규			

閨房	규방	안방 규	방 방	(婦女子가 居處하는 房)
規範	규범	법 규	법 범	
閨秀	규수	안방 규	빼어날 수	(良家집 閨秀)
奎章閣	규장각	별/글 규	글 장	집 각 (朝鮮의 王室 圖書館)
規制	규제	법 규	절제할/억제할 제	(行政規制 緩和)
糾彈	규탄	얽힐/조사할 규	탄알/힐책할 탄	
糾合	규합	얽힐/모을 규	합할 합	(勢力을 糾合하다)
龜裂	균열	터질 균	찢을 렬(열)	
均衡	균형	고를 균	저울대 형	
極口	극구	극진할 극	입 구	(極口 辭讓하다)
極秘	극비	극진할 극	숨길 비	(極秘文書)
克世拓道	극세척도	이길 극	인간/세상 세	넓힐 척 길 도
極致	극치	극진할 극	이를 치	(半跏思惟像은 美의 極致를 보여 준다)
根幹	근간	뿌리 근	줄기 간	
近郊	근교	가까울 근	들 교	(近郊園藝)
近隣	근린	가까울 근	이웃 린(인)	(近隣公園)
勤勉	근면	부지런할 근	힘쓸 면	
近墨者黑	근묵자흑	가까울 근	먹 묵	놈 자 검을 흑
僅少	근소	겨우 근	적을 소	(僅少한 差異)
謹愼	근신	삼갈 근	삼갈 신	
根源	근원	뿌리 근	근원 원	
筋肉痛	근육통	힘줄 근	고기 육	아플 통 (筋肉痛 緩和)

根自感	근자감	뿌리 근	스스로 자	느낄 감	(根據 없는 自信感)
謹弔花環	근조화환	삼갈 근	조상할 조	꽃 화	고리 환
謹賀新年	근하신년	삼갈 근	하례할 하	새 신	해 년(연)
金剛不壞	금강불괴	쇠 금	굳셀 강	아닐 불	무너질 괴
金科玉條	금과옥조	쇠 금	과목 과	구슬 옥	가지 조
禁斷現象	금단현상	금할 금	끊을 단	나타날 현	코끼리/모양 상
襟度	금도	옷깃 금	법도 도	(남을 容納할 만한 度量)	
錦上添花	금상첨화	비단 금	위 상	더할 첨	꽃 화
今昔之感	금석지감	이제 금	예 석	갈/어조사 지	느낄 감
錦繡江山	금수강산	비단 금	수놓을 수	강 강	메 산
琴瑟	금슬	거문고 금	큰거문고/비파 슬		
今始初聞	금시초문	이제 금	비로서 시	처음 초	들을 문
禁煙	금연	금할 금	연기 연		
金融	금융	쇠 금	녹을 융	(金融機關, 金融 投資分析士)	
錦衣夜行	금의야행	비단 금	옷 의	밤 야	다닐 행
錦衣還鄉	금의환향	비단 금	옷 의	돌아올 환	시골/고향 향
金一封	금일봉	쇠 금	한 일	봉할 봉	(大統領이 金一封을 下賜하다)
金枝玉葉	금지옥엽	쇠 금	가지 지	구슬 옥	잎 엽
急激	급격	급할 급	격할 격	(반의어 緩慢)	
及其也	급기야	미칠 급	그 기	어조사 야	
急轉直下	급전직하	급할 급	구를 전	곧을 직	아래 하

肯定	긍정	즐길 긍	정할 정		
矜持	긍지	자랑할 긍	가질 지		
矜恤	긍휼	자랑할/불쌍 히여길 긍	불쌍할/ 구휼할 휼	(水災民들을 矜恤하다)	
棄却	기각	버릴 기	물리칠 각	(彈劾認容 vs 彈劾棄却)	
紀綱	기강	벼리 기	벼리 강	(紀綱確立)	
氣槪	기개	기운 기	대개/절개 개	(丈夫의 氣槪, 氣槪를 떨치다)	
寄稿	기고	부칠 기	볏짚/원고 고		
氣高萬丈	기고만장	기운 기	높을 고	일만 만	어른/장 장
氣孔	기공	기운/공기 기	구멍 공		
起工式	기공식	일어날/ 시작할 기	장인/일 공	법/의식 식	(유의어 着工式, 반의어 竣工式)
奇怪	기괴	기특할/ 기이할 기	괴이할 괴		
機構	기구	틀 기	얽을 구	(國際機構)	
崎嶇	기구	험할 기	험할 구	(崎嶇한 運命)	
器具	기구	그릇/도구 기	갖출 구	(實驗器具, 運動器具)	
飢饉	기근	주릴 기	주릴 근	(유의어 飢餓)	
氣團	기단	기운/공기 기	둥글/모일 단		
期待壽命	기대수명	기약할 기	기다릴 대	목숨 수	목숨 명
企圖	기도	꾀할 기	그림 도		
祈禱	기도	빌 기	빌 도	(새벽 祈禱)	
旣得權	기득권	이미 기	얻을 득	권세 권	
綺羅星	기라성	비단 기	그물/벌일 라(나)	별 성	(綺羅星 같은 俳優들)
岐路	기로	갈림길 기	길 로(노)	(生死의 岐路에 서다)	

欺罔	기망	속일 기	그물/속일 망	(유의어 欺瞞)	
嗜眠症	기면증	즐길 기	잘 면	증세 증	(睡眠障碍 中 하나)
機敏	기민	틀/재치 기	민첩할 민	(機敏한 움직임)	
機密	기밀	틀/비밀 기	빽빽할/비밀 밀	(軍事機密)	
基盤	기반	터 기	소반 반		
奇別	기별	기특할 기	다를/나눌 별		
基本	기본	터 기	근본 본		
寄附	기부	부칠 기	붙을/줄 부	(寄附天使, 寄附採納)	
騎士	기사	말탈 기	선비/군사 사		
起死回生	기사회생	일어날 기	죽을 사	돌아올 회	날/살 생
氣象異變	기상이변	기운/공기 기	코끼리/모양 상	다를 이	변할 변
奇想天外	기상천외	기특할/기이할 기	생각 상	하늘 천	바깥 외
寄生	기생	부칠/기댈 기	날/살 생		
機先制壓	기선제압	틀/권세 기	먼저 선	절제할/억제할 제	누를 압
氣勢騰騰	기세등등	기운 기	형세 세	오를 등	
起訴	기소	일어날 기	호소할/고소할 소	(起訴猶豫)	
己所不欲 勿施於人	기소불욕 물시어인	몸/자기 기, 바 소	아닐 불, 하고자할 욕	말 물, 베풀 시	어조사 어, 사람/타인 인
奇襲	기습	기특할/몰래 기	엄습할 습		
起承轉結	기승전결	일어날 기	이을 승	구를 전	맺을 결
奇巖怪石	기암괴석	기특할/기이할 기	바위 암	괴이할 괴	돌 석
奇巖絶壁	기암절벽	기특할/기이할 기	바위 암	끊을 절	벽 벽

氣壓	기압	기운/공기 기	누를 압	
寄與	기여	부칠 기	더불/줄 여	(寄與入學)
氣焰	기염	기운 기	불꽃 염	(氣焰을 吐하다)
杞憂	기우	구기자/나라 이름 기	근심 우	
祈雨祭	기우제	빌 기	비 우	제사 제
基底	기저	터 기	밑 저	(基底效果, 基底疾患)
奇跡	기적	기특할/기이할 기	발자취 적	
汽笛	기적	물끓는김 기	피리 적	(汽車 汽笛)
氣絶招風	기절초풍	기운 기	끊을 절	부를 초 바람 풍
旣定事實	기정사실	이미 기	정할 정	일 사 열매/사실 실
基準	기준	터 기	준할 준	
寄贈	기증	부칠 기	줄 증	
機智	기지	틀/재치 기	슬기 지	(機智를 發揮하다)
基地局	기지국	터 기	땅 지	판/관청 국
氣盡脈盡	기진맥진	기운 기	다할 진	줄기 맥
寄着	기착	부칠/이를 기	붙을 착	(가는 길에 잠깐 들름)
基礎代謝量	기초대사량	터 기	주춧돌 초	대신할 대, 사례할 사 헤아릴 량(양)
基礎年金	기초연금	터 기	주춧돌 초	해 년(연) 쇠 금
旗幟	기치	기 기	기 치	
起寢	기침	일어날 기	잘 침	(유의어 起床)
忌憚	기탄	꺼릴 기	꺼릴 탄	
起爆劑	기폭제	일어날 기	터질 폭	약제 제

氣稟	기품	기운 기	여쭐/천품 품 (品位)		
忌避	기피	꺼릴 기	피할 피	(兵役忌避)	
幾何級數	기하급수	몇 기	어찌 하	등급 급	셈 수
嗜好	기호	즐길 기	좋을 호	(趣味)	
騎虎之勢	기호지세	말탈 기	범 호	갈/어조사 지 형세 세	
企劃	기획	꾀할 기	그을 획		
緊急	긴급	긴할/급박할 긴	급할 급	(緊急救濟, 緊急救助, 緊急避難)	
緊迫	긴박	긴할/급박할 긴	핍박할/급할 박	(緊迫感)	
緊張	긴장	긴할/굳을 긴	베풀 장	(緊張이 高調되다)	
緊縮	긴축	긴할/긴축할 긴	줄일 축	(緊縮憂慮, 緊縮財政)	
那落	나락	어찌 나	떨어질 락(낙)	(佛敎에서 地獄을 이르는 말)	
懦弱	나약	나약할 나	약할 약		
螺鈿漆器	나전칠기	소라 라(나)	비녀 전	옻 칠	그릇 기
羅針盤	나침반	벌일 라(나)	바늘 침	소반 반	
懶怠	나태	게으를 라(나)	게으를 태		
落膽	낙담	떨어질 락(낙)	쓸개 담		
落落長松	낙락장송	떨어질 락(낙)	길 장	소나무 송	
落成式	낙성식	떨어질/준공할 락(낙)	이룰 성	법/의식 식	(유의어 竣工式)
落水效果	낙수효과	떨어질 락(낙)	물 수	본받을 효	실과/결과 과
烙印	낙인	지질 락(낙)	도장 인	(烙印찍히다)	
落花流水	낙화유수	떨어질 락(낙)	꽃 화	흐를 류(유)	물 수

欄干	난간	난간 란(난)	방패 간		
難攻不落	난공불락	어려울 난	칠 공	아닐 불	떨어질 락(낙)
亂離	난리	어지러울 란(난)	떠날 리(이)		
暖房	난방	따뜻할 난	방 방	(반의어 冷房)	
爛商討論	난상토론	빛날/문드러질 란(난)	장사 상	칠/탐구할 토	논할 론(논)
難兄難弟	난형난제	어려울 난	형 형	아우 제	
捏造	날조	꾸밀 날	지을 조	(領收證 捏造)	
南柯一夢	남가일몽	남녘 남	가지 가	한 일	꿈 몽
南橘北枳	남귤북지	남녘 남	귤 귤	북녘 북	탱자 지
南男北女	남남북녀	남녘 남	사내 남	북녘 북	여자 녀(여)
男女老少	남녀노소	사내 남	여자 녀(여)	늙을 로(노)	젊을 소
襤褸	남루	헌누더기 람(남)	헌누더기 루(누)		
濫發	남발	넘칠 람(남)	필/쏠 발		
男負女戴	남부여대	사내 남	질 부	여자 녀(여)	일 대
男兒選好	남아선호	사내 남	아이 아	가릴 선	좋을 호
濫用	남용	넘칠 람(남)	쓸 용	(權力濫用)	
濫竽充數	남우충수	넘칠/부실할 람(남)	피리 우	채울 충	셈 수
男尊女卑	남존여비	사내 남	높을 존	여자 녀(여)	낮을 비
濫獲	남획	넘칠 람(남)	얻을 획	(지나친 濫獲으로 滅種危機까지 몰려)	
納付	납부	들일/납부할 납	줄 부	(稅金納付)	
郎君	낭군	사내/남편 랑(낭)	임금/남편 군	(서울 가신 우리 郎君님은 언제나 오시려나?)	
浪漫主義	낭만주의	물결 랑(낭)	흩어질 만	임금/주인 주	옳을 의

朗誦	낭송	밝을 랑(낭) 외울 송	(詩朗誦)	
囊中之錐	낭중지추	주머니 낭	가운데 중	갈/어조사 지 송곳 추
狼狽	낭패	이리 랑(낭) 이리 패	(狼狽(를) 보다)	
內工	내공	안 내	장인 공	(內工을 쌓다, 內工이 普通이 아니다)
來歷	내력	올 래(내)	지날 력(역)	(유의어 由來)
內紛	내분	안 내	어지러울 분	
內分泌	내분비	안 내	나눌 분	분비할 비
來賓	내빈	올 래(내)	손 빈	
內譯	내역	안 내	번역할/ 나타낼 역	(購買內譯書)
內容	내용	안 내	얼굴/속내 용	
內憂外患	내우외환	안 내	근심 우	바깥 외 근심 환
內柔外剛	내유외강	안 내	부드러울 유	바깥 외 굳셀 강
內訌	내홍	안 내	어지러울 홍	(內訌을 겪다)
冷却	냉각	찰 랭(냉)	물리칠 각	(冷却水)
冷淡	냉담	찰 랭(냉)	맑을 담/묽을 담	(冷淡한 反應을 보이다)
冷藏庫	냉장고	찰 랭(냉)	감출 장	곳집 고
冷徹	냉철	찰 랭(냉)	통할 철	(冷徹한 理性)
露骨的	노골적	이슬/드러낼 뼈 골 로(노)	과녁/어조사 적	(露骨的 描寫)
老軀	노구	늙을 로(노) 몸 구	(80 老軀를 이끌고…)	
怒發大發	노발대발	성낼 노	필/쏠 발	큰 대
奴婢	노비	종 노	계집종 비	
老衰	노쇠	늙을 로(노) 쇠할 쇠	(유의어 老弱, 衰弱)	

勞心焦思	노심초사	일할/근심할 로(노)	마음 심	탈 초	생각 사
奴隷	노예	종 노	종 례(예)		
老益壯	노익장	늙을 로(노)	더할 익	장할 장	
老婆心	노파심	늙을 로(노)	할머니 파	마음 심	
老廢物	노폐물	늙을 로(노)	폐할 폐	물건 물	
鹵獲	노획	소금/노략질할 로(노)	얻을 획	(유의어 奪取)	
老朽	노후	늙을 로(노)	썩을 후	(老朽 設備)	
祿俸	녹봉	녹 록(녹)	녹 봉		
綠陰芳草	녹음방초	푸를 록(녹)	그늘 음	꽃다울 방	풀 초
綠衣紅裳	녹의홍상	푸를 록(녹)	옷/웃옷 의	붉을 홍	치마 상
論功行賞	논공행상	논할 론(논)	공 공	다닐/행할 행	상줄 상
壟斷	농단	언덕 롱(농)	끊을 단	(國政壟斷)	
農繁期	농번기	농사 농	번성할/바쁠 번	기약할/기간 기	
籠城	농성	대바구니 롱(농)	재/성 성	(굴뚝籠城, 斷食籠城)	
聾啞	농아	귀먹을 롱(농)	벙어리 아	(聾啞學校)	
濃厚	농후	짙을 농	두터울 후		
腦梗塞	뇌경색	골 뇌	줄기/막힐 경	변방 새/막힐 색	
腦裏	뇌리	뇌 뇌	속 리(이)	(腦裏를 스치다)	
賂物	뇌물	뇌물 뢰(뇌)	물건 물		
腦電症	뇌전증	골 뇌	번개 전	증세 증	
腦卒中	뇌졸중	골 뇌	마칠/갑자기 졸	가운데/적중시킬 중	(유의어 腦中風)
腦血管	뇌혈관	뇌 뇌	피 혈	대롱 관	

漏落	누락	샐 루(누)	떨어질 락(낙)	
累卵之勢/危	누란지세/위	묶을/여러 루(누)	알 란	갈/어조사 지 형세 세, 위태할 위
陋名	누명	더러울 누	이름 명	
淚腺	누선	눈물 루(누)	샘 선	
漏泄	누설	샐 루(누)	샐 설	(秘密漏泄)
漏水	누수	샐 루(누)	물 수	(漏水現象)
勒約	늑약	굴레/강제할 륵(늑)	맺을/조약 약	(乙巳勒約)
凜凜	늠름	찰 름(늠)		
能大能小	능대능소	능할 능	큰 대	작을 소
凌蔑	능멸	업신여길 릉(능)	업신여길 멸	(유의어 輕蔑)
能手能爛	능수능란	능할 능	손 수	빛날 란(난)
陵遲處斬	능지처참	언덕 릉(능) 더딜 지	곳 처	벨 참
多多益善	다다익선	많을 다	더할 익	착할/좋을 선
茶道	다도	차 다	길/방법 도	
茶飯事	다반사	차 다	밥 반	일 사 (거짓말을 茶飯事로 하다)
多邊化	다변화	많을 다	가 변	될 화
多事多難	다사다난	많을 다	일 사	어려울 난
多世帶住宅	다세대주택	많을 다, 인간 세	띠 대	살 주 집 택
多才多能	다재다능	많을 다	재주 재	능할 능
多情多感	다정다감	많을 다	뜻 정	느낄 감
多汗症	다한증	많을 다	땀 한	증세 증
檀君神話	단군신화	박달나무	임금 군	귀신 신 말씀 화

單刀直入	단도직입	홑 단	칼 도	곧을 직	들 입
團欒	단란	둥글 단	둥글 란(난)	(유의어 和睦, 團欒한 한때, 團欒한 家庭)	
鍛鍊	단련	불릴 단	불릴 련(연)		
斷末摩	단말마	끊을 단	끝 말	갈/문지를 마 (臨終)	
團拜式	단배식	둥글/모일 단	절 배	법/의식 식	
壇上	단상	단 단	위 상		
但書	단서	다만 단	글 서	(但書條項)	
端緒	단서	끝 단	실마리 서	(搜査의 端緒)	
團束	단속	둥글/통솔할 단	묶을 속	(過速團束)	
丹脣皓齒	단순호치	붉을 단	입술 순	흴 호	이 치
端雅	단아	끝 단	맑을 아		
斷腸之哀	단장지애	끊을 단	창자 장	갈/어조사 지 슬플 애	
端初	단초	끝 단	처음 초	(실마리)	
短篇	단편	짧을 단	책 편		
斷乎	단호	끊을 단	어조사 호	(斷乎한 意志를 보이다)	
達觀	달관	통달할 달	볼 관		
膽囊	담낭	쓸개 담	주머니 낭		
淡淡	담담	맑을 담			
膽大	담대	쓸개/담력 담	큰 대	(膽大한 構想)	
擔保	담보	멜 담	지킬 보	(住宅擔保貸出)	
沓沓	답답	겹칠 답			

踏步	답보	밟을 답	걸음 보	(踏步狀態)
踏査	답사	밟을 답	조사할 사	(遺跡踏査)
堂狗風月	당구풍월	집 당	개 구	바람 풍	달 월
糖尿	당뇨	엿 당	오줌 뇨(요)	(糖尿病 患者)
唐突	당돌	당나라/당황할 당	갑자기 돌	(唐突한 質問)
螳螂拒轍	당랑거철	사마귀 당	사마귀 랑	막을 거	바퀴자국 철
當付	당부	마땅 당	줄/부탁할 부	
糖分	당분	엿 당	나눌 분	
當籤	당첨	마땅 당	제비 첨	(當籤金 受領)
當惑	당혹	마땅 당	미혹할 혹	
大驚失色	대경실색	큰 대	놀랄 경	잃을 실	빛 색
戴冠式	대관식	일 대	갓 관	법/의식 식
大關節	대관절	큰 대	관계할 관	마디 절	(= 都大體)
待機	대기	기다릴 대	틀/계기 기	(待機室)
大氣圈	대기권	큰 대	기운 기	우리/구역 권
大器晚成	대기만성	큰 대	그릇 기	늦을 만	이룰 성
大團圓	대단원	큰 대	둥글 단	둥글 원	(유의어 大尾)
大道無門	대도무문	큰 대	길 도	없을 무	문 문
大同團結	대동단결	큰 대	한가지 동	둥글/모일 단	맺을 결
大同小異	대동소이	큰 대	한가지 동	작을 소	다를 이
擡頭	대두	들 대	머리 두	(市民階級의 擡頭)
大明天地	대명천지	큰 대	밝을 명	하늘 천	땅 지

大舶	대박	큰 대	선박 박	(큰 物件이나 利得)	
貸付	대부	빌릴 대	줄 부	(유의어 融資)	
帶狀疱疹	대상포진	띠 대	형상 상	여드름/마마 포	마마 진
大書特筆	대서특필	큰 대	글 서	특별할 특	붓 필
大聲痛哭	대성통곡	큰 대	소리 성	아플 통	울 곡
大悟覺醒	대오각성	큰 대	깨달을 오	깨달을 각	깰 성
大雄殿	대웅전	큰 대	수컷 웅	전각 전	
大義名分	대의명분	큰 대	옳을 의	이름 명	나눌 분
對酌	대작	대할 대	술부을 작		
大丈夫	대장부	큰 대	어른 장	지아비/사내 부	
對照	대조	대할 대	비칠 조		
對症療法	대증요법	대할 대	증세 증	고칠 료(요)	법 법
垈地	대지	집터 대	땅 지	(집터로서의 땅)	
大捷	대첩	큰 대	빠를/이길 첩	(壬辰三大捷)	
代替燃料	대체연료	대신할 대	바꿀 체	탈 연	헤아릴/재료 료
待避	대피	기다릴 대	피할 피		
德不孤必有隣	덕불고필유린	클/덕 덕, 아닐 불	외로울 고	반드시 필, 있을 유	이웃 린(인)
德業相勸	덕업상권	클/덕 덕	업 업	서로 상	권할 권
圖鑑	도감	그릴 도	거울 감		
陶工	도공	질그릇 도	장인 공		
韜光養晦	도광양회	감출 도	빛 광	기를 양	그믐 회
都給	도급	도읍/모두 도	줄 급	(都給契約)	

都大體	도대체	도읍/아아 도	큰 대	몸 체
屠戮	도륙	죽일 도	죽일 륙	
圖謀	도모	그림/꾀할 도	꾀 모	(유의어 講究, 計劃, 企圖)
賭博	도박	내기 도	넓을 박	
挑發	도발	돋을 도	필/쏠 발	(武力挑發)
塗褙	도배	칠할 도	속적삼 배	
盜癖	도벽	도둑/훔칠 도	버릇 벽	(盜癖이 심하다)
徒步	도보	무리/보행 도	걸음 보	(徒步旅行)
屠殺場	도살장	죽일 도	죽일 살	마당 장
島嶼	도서	섬 도	섬 서	(西海 島嶼地域)
徒手治療	도수치료	무리/맨손 도	손 수	다스릴 치 / 고칠 료(요)
跳躍	도약	뛸 도	뛸 약	
度外視	도외시	법도 도	바깥 외	볼 시 / (眼中에 두지 않고 無視함)
桃園結義	도원결의	복숭아 도	동산 원	맺을 결 / 옳을 의
道聽塗說	도청도설	길 도	들을 청	칠할 도 / 말씀 설
陶醉	도취	질그릇/화락할 도	취할 취	
塗炭之苦	도탄지고	칠할 도	숯 탄	갈/어조사 지 / 쓸/애쓸 고
淘汰	도태	일 도	일 태	(淘汰를 당하다)
桃花源記	도화원기	복숭아 도	꽃 화	근원 원 / 기록할 기
獨斷	독단	홀로 독	끊을/결단할 단	(유의어 獨善)
督勵	독려	감독할 독	힘쓸 려(여)	

獨步的	독보적	홀로 독	걸음 보	과녁/어조사 적	
獨不將軍	독불장군	홀로 독	아닐 불	장수 장	군사 군
讀書百遍義自見	독서백편의자현	읽을 독, 글 서	일백 백, 두루 편	옳을/뜻 의, 스스로 자	볼 견/깨달을 현
讀書三昧	독서삼매	읽을 독	글 서	석 삼	어두울 매
獨善	독선	홀로 독	착할/옳게 여길 선	(獨善에 빠지다)	
獨守空房	독수공방	홀로 독	지킬 수	빌 공	방 방
獨也靑靑	독야청청	홀로 독	어조사 야	푸를 청	
督促	독촉	감독할/재촉할 독	재촉할 촉		
讀破	독파	읽을 독	깨뜨릴 파	(讀破萬卷)	
敦篤	돈독	도타울 돈	도타울 독		
同價紅裳	동가홍상	한가지 동	값 가	붉을 홍	치마 상
憧憬	동경	동경할 동	깨달을/동경할 경	(사람들이 憧憬하는 職業)	
同苦同樂	동고동락	한가지/함께 동	괴로울 고	노래 악/즐길 락(낙)	
瞳孔	동공	눈동자 동	구멍 공		
洞窟	동굴	골 동	굴 굴		
動機附與	동기부여	움직일 동	틀/계기 기	붙을/줄 부	더불/줄 여
棟梁之材	동량지재	마룻대 동	들보 량	갈/어조사 지	재목 재
同盟	동맹	한가지/함께 동	맹세 맹		
東問西答	동문서답	동녘 동	물을 문	서녘 서	대답 답
同伴者	동반자	한가지 동	짝 반	놈 자	(유의어 同調者)
同病相憐	동병상련	한가지/같을 동	병 병	서로 상	불쌍히여길 련(연)

東奔西走	동분서주	동녘 동	달릴 분	서녘 서	달릴 주
同床異夢	동상이몽	한가지/같을 동	평상 상	다를 이	꿈 몽
同壻	동서	한가지/같을 동	사위 서		
東西古今	동서고금	동녘 동	서녘 서	옛 고	이제 금
動員	동원	움직일 동	인원 원	(人力動員)	
東夷族	동이족	동녘 동	오랑캐 이	겨레 족	
同族相殘	동족상잔	한가지/같을 동	겨레 족	서로 상	잔인할 잔
胴體着陸	동체착륙	큰창자/몸통 동	몸 체	붙을 착	뭍 륙(육)
同胞	동포	한가지/같을 동	세포 포		
頭腦	두뇌	머리 두	골 뇌		
頭目	두목	머리 두	눈/우두머리 목	(유의어 首魁)	
杜門不出	두문불출	막을 두	문 문	아닐 불	날 출
杜絶	두절	막을 두	끊을 절	(連絡杜絶, 通信杜絶)	
遁甲術	둔갑술	달아날/속일 둔	갑옷 갑	재주 술	
鈍器	둔기	둔할/무딜 둔	그릇/도구 기	(鈍器로 얻어맞다)	
得意滿面	득의만면	얻을 득	뜻 의	찰 만	낯 면
等高線	등고선	무리/같을 등	높을 고	줄 선	
登高自卑	등고자비	오를 등	높을 고	스스로/부터 자	낮을 비
登攀隊員	등반대원	오를 등	더위잡을 반	무리 대	인원 원
燈下不明	등하불명	등 등	아래 하	아닐 불	밝을 명
燈火可親	등화가친	등 등	불 화	옳을/가히 가	친할 친

魔鬼	마귀	마귀 마	귀신 귀		
魔力	마력	마귀 마	힘 력(역)		
磨耗	마모	갈 마	소모할 모	(磨耗率, 耐磨耗性)	
磨斧作針	마부작침	갈 마	도끼 부	지을 작	바늘 침
痲痺	마비	저릴 마	저릴 비	(心臟痲痺)	
魔術	마술	마귀 마	재주 술		
痲藥中毒	마약중독	저릴 마	약 약	가운데 중	독 독
馬耳東風	마이동풍	말 마	귀 이	동녘 동	바람 풍
摩擦	마찰	문지를 마	문지를 찰		
摩天樓	마천루	문지를 마	하늘 천	다락 루(누)	
痲醉	마취	저릴 마	취할 취		
寞寞	막막	고요할/쓸쓸할 막	(혼자 남아 마음이 寞寞하다)		
莫無可奈	막무가내	없을 막	없을 무	옳을/가히 가 어찌 내	
莫上莫下	막상막하	없을 막	위 상	아래 하	
莫逆之友	막역지우	없을 막	거스를 역	갈/어조사 지 벗 우	
漠然	막연	넓을 막	그럴 연	(漠然한 期待)	
灣	만	물굽이 만	(眞珠灣攻襲)		
萬頃蒼波	만경창파	일만 만	이랑 경	푸를 창	물결 파
萬古不變	만고불변	일만 만	옛 고	아닐 불	변할 변
萬古風霜	만고풍상	일만 만	옛 고	바람 풍	서리 상
萬機親覽	만기친람	일만 만	틀 기	친할/몸소 친 볼 람(남)	
滿喫	만끽	찰 만	먹을 끽		

挽留	만류	당길 만	머무를 류(유)		
萬物博士	만물박사	일만 만	물건 물	넓을 박	선비 사
萬事如意	만사여의	일만 만	일 사	같을 여	뜻 의
萬事亨通	만사형통	일만 만	일 사	형통할 형	통할 통
萬事休矣	만사휴의	일만 만	일 사	쉴 휴	어조사 의
滿朔	만삭	찰 만	초하루 삭		
滿山紅葉	만산홍엽	찰 만	메 산	붉을 홍	잎 엽
慢性疲勞	만성피로	거만할/느릴 만	성품/성질 성	피곤할 피	일할 로(노)
萬歲三唱	만세삼창	일만 만	해 세	석 삼	부를 창
晩時之歎	만시지탄	늦을 만	때 시	갈/어조사 지	탄식할 탄
滿身瘡痍	만신창이	찰 만	몸 신	부스럼 창	상처 이
蠻勇	만용	오랑캐 만	날랠 용		
滿員謝禮	만원사례	찰 만	인원 원	사례할 사	예도 례(예)
滿場一致	만장일치	찰 만	마당 장	한 일	이를 치
萬折必東	만절필동	일만 만	꺾을 절	반드시 필	동녘 동
漫醉	만취	흩어질 만	취할 취		
蠻行	만행	오랑캐 만	다닐/행할 행		
漫畫	만화	흩어질 만	그림 화	(漫畫映畫)	
萬化方暢	만화방창	일만 만	될 화	모 방	펼/번성할 창
末梢神經	말초신경	끝 말	나뭇가지끝 초	귀신 신	지날 경
忘却	망각	잊을 망	물리칠 각		
網羅	망라	그물 망	그물/벌일 라(나)		

妄靈	망령	망령될 망	신령 령	
茫漠	망막	아득할 망	넓을 막	(흐리멍덩하고 똑똑하지 못한 狀態)
茫茫大海	망망대해	아득할 망	큰 대	바다 해
亡羊補牢	망양보뢰	망할/잃을 망	양 양	기울 보 · 우리 뢰
妄言	망언	망령될 망	말씀 언	
茫然自失	망연자실	아득할 망	그럴 연	스스로 자 · 잃을 실
芒種	망종	까끄라기 망	씨 종	(24節氣의 하나, 小滿과 夏至 사이)
忙中閑	망중한	바쁠 망	가운데 중	한가할 한
媒介	매개	중매 매	낄 개	(媒介體, 媒介物)
賣國奴	매국노	팔 매	나라 국	종 노
賣渡	매도	팔 매	건널 도	(買收의 반의어)
罵倒	매도	꾸짖을 매	넘어질 도	(몹시 꾸짖음)
梅毒	매독	매화 매	독 독	(性病의 한 가지)
梅蘭菊竹	매란국죽	매화 매	난초 란(난)	국화 국 · 대 죽
魅力	매력	매혹할 매	힘 력(역)	
埋立地	매립지	묻을 매	설 립(입) · 땅 지	(쓰레기 埋立地, landfill)
埋沒費用	매몰비용	묻을 매	빠질 몰 · 쓸 비	쓸 용(sunk cost)
每事盡善	매사진선	매양 매	일 사	다할 진 · 착할/잘할 선
煤煙	매연	그을음 매	연기 연	(煤煙低減裝置)
埋藏	매장	묻을 매	감출 장	(鑛物 따위가 묻혀 있는 것)
埋葬	매장	묻을 매	장사지낼 장	(vs 火葬)
買占賣惜	매점매석	살 매	점령할 점 · 팔 매	아낄 석

脈絡	맥락	맥/줄기 맥	이을 락(낙)	
脈搏	맥박	맥 맥	두드릴 박	
孟母斷機	맹모단기	맹자 맹	어미 모	끊을 단 　틀 기
孟母三遷	맹모삼천	맹자 맹	어미 모	석 삼 　옮길 천
猛省	맹성	사나울 맹	살필 성	(매우 깊이 反省함)
盟誓	맹세	맹세 맹	맹세할 서	(본딧말 맹서)
盲信	맹신	맹인 맹	믿을 신	(유의어 狂信)
萌芽	맹아	움 맹	싹 아	(새로운 일의 始初)
免疫	면역	면할 면	전염병 역	(自家免疫疾患)
面從腹背	면종복배	낯 면	좇을 종	배 복 　등 배
免罪符	면죄부	면할 면	허물 죄	부호/공문 부
綿織	면직	솜 면	짤 직	
免許證	면허증	면할 면	허락할 허	증거 증
滅亡	멸망	꺼질 멸	망할 망	
滅私奉公	멸사봉공	꺼질 멸	사사 사	받들 봉 　공평할 공
蔑視	멸시	업신여길 멸	볼 시	
明鏡止水	명경지수	밝을 명	거울 경	그칠 지 　물 수
明明白白	명명백백	밝을 명	흰 백	
冥福	명복	어두울/저승 명	복 복	
名不虛傳	명불허전	이름 명	아닐 불	빌/헛될 허 　전할 전
冥想	명상	어두울 명	생각 상	
明晳	명석	밝을 명	밝을 석	(頭腦가 明晳하다)

名實相符	명실상부	이름 명	열매 실	서로 상	부호 부
明若觀火	명약관화	밝을 명	같을 약	볼 관	불 화
名譽	명예	이름 명	기릴 예		
命中	명중	목숨/표적 명	가운데 중		
明澄	명징	밝을 명	맑을 징	("上昇과 下降으로 明澄하게 織造해낸 辛辣하면서 悽然한 階級 寓話")	
名銜	명함	이름 명	재갈/직함 함		
毛骨悚然	모골송연	터럭 모	뼈 골	두려울 송	그럴 연
冒頭	모두	무릅쓸/모자 모	머리 두	(반의어 末尾)	
侮蔑	모멸	업신여길 모	업신여길 멸		
謀叛	모반	꾀 모	모반할 반		
模倣	모방	본뜰 모	본뜰 방	(模倣犯罪)	
模範	모범	본뜰 모	법 범	(模範囚 釋放)	
募兵制	모병제	모을 모	병사 병	절제할/법도 제	(vs 徵兵制)
摸索	모색	본뜰/찾을 모	찾을 색	(解決方案을 摸索하다)	
矛盾	모순	창 모	방패 순		
模樣	모양	본뜰/모양 모	모양 양		
侮辱	모욕	업신여길 모	욕될 욕		
謀議	모의	꾀 모	의논할 의	(革命을 謀議하다)	
帽子	모자	모자 모	아들 자	(中折帽子)	
募集	모집	모을 모	모을 집		
謀陷	모함	꾀 모	빠질 함		

模型	모형	본뜰/모양 모	모양 형		
模糊	모호	본뜰/모호할 모	풀칠할/모호할 호	(曖昧模糊)	
牧歌的	목가적	칠 목	노래 가	과녁/어조사 적	
目擊談	목격담	눈 목	칠/마주칠 격	말씀 담	
目睹	목도	눈 목	볼 도		
木墟酒店	목로주점	나무 목	흑토/술집 로	술 주	가게 점
目錄	목록	눈/제목 목	기록할 록(녹)	(유의어 目次)	
目不識丁	목불식정	눈 목	아닐 불	알 식	고무래 정
目不忍見	목불인견	눈 목	아닐 불	참을 인	볼 견
沐浴齋戒	목욕재계	머리감을 목	목욕할 욕	재계할 재	경계할 계
沒頭	몰두	빠질 몰	머리 두		
沒收	몰수	빠질/빼앗을 몰	거둘 수		
蒙昧	몽매	어두울 몽	어두울 매	(無知蒙昧)	
蒙塵	몽진	어두울/덮을 몽	티끌 진	(임금은 亂을 避해 蒙塵을 했다)	
夢幻	몽환	꿈 몽	헛보일 환		
苗木	묘목	모 묘	나무 목		
杳然	묘연	아득할 묘	그럴 연	(行方이 杳然하다)	
無辜	무고	없을 무	허물/죄 고	(無辜하다고 主張하다)	
誣告罪	무고죄	속일 무	고할 고	허물 죄	(中傷이라면 誣告罪로 다스려야)
無窮無盡	무궁무진	없을 무	다할 궁	다할 진	
無念無想	무념무상	없을 무	생각 념(염)	생각 상	

無斷複製	무단복제	없을 무	끊을 단	겹칠 복	지을 제
無慮	무려	없을 무	생각할 려(여) (物價가 無慮 갑절이나 올랐다)		
無賴漢	무뢰한	없을 무	의뢰할/의지할 뢰	한수/사나이 한	
無聊	무료	없을 무	즐길 료(요) (심심하고 지루함)		
武陵桃源	무릉도원	호반 무	언덕 릉(능)	복숭아 도	근원 원
撫摩	무마	어루만질 무	문지를 마	(事件을 撫摩하다)	
無不干涉	무불간섭	없을 무	아닐 불	방패/간여할 간	건널 섭
無不通知	무불통지	없을 무	아닐 불	통할 통	알 지
無事安逸	무사안일	없을 무	일 사	편안 안	편안할 일
霧散	무산	안개 무	흩을 산		
無所不爲	무소불위	없을 무	바 소	아닐 불	할/될 위
巫俗人	무속인	무당 무	풍속 속	사람 인	(巫俗信仰)
無我之境	무아지경	없을 무	나 아	갈/어조사 지	지경 경
貿易	무역	무역할 무	바꿀 역		
無緣故者	무연고자	없을 무	인연 연	연고 고	놈 자
舞踊	무용	춤출 무	뛸 용		
無用之物	무용지물	없을 무	쓸 용	갈/어조사 지	물건 물
無用之用	무용지용	없을 무	쓸 용	갈/어조사 지	
武運長久	무운장구	호반 무	옮길 운	길 장	오랠 구
無爲徒食	무위도식	없을 무	할/될 위	무리/헛될 도	먹을 식
無賃乘車	무임승차	없을 무	품삯 임	탈 승	수레 차

武裝	무장	호반 무	꾸밀 장		
無主空山	무주공산	없을 무	주인 주	빌 공	메 산
無知蒙昧	무지몽매	없을 무	알 지	어두울 몽	어두울 매
無盡藏	무진장	없을 무	다할 진	감출 장	(유의어 無窮無盡)
無限競爭	무한경쟁	없을 무	한할 한	다툴 경	다툴 쟁
默默不答	묵묵부답	잠잠할 묵	아닐 부	대답 답	
刎頸之交	문경지교	목벨 문	목 경	갈/어조사 지	사귈 교
文段	문단	글월 문	조각 단		
紊亂	문란	어지러울 문	어지러울 란(난)		
文房四友	문방사우	글월 문	방 방	넉 사	벗 우
問喪	문상	물을 문	잃을 상		
門外漢	문외한	문 문	바깥 외	한수/사나이 한	
問議	문의	물을 문	의논할 의	(問議處)	
聞一知十	문일지십	들을 문	한 일	알 지	열 십
門前乞食	문전걸식	문 문	앞 전	빌 걸	밥/먹을 식
門前薄待	문전박대	문 문	앞 전	엷을 박	기다릴/대접할 대
門前成市	문전성시	문 문	앞 전	이룰 성	저자 시
門牌	문패	문 문	패 패	(유의어 名牌)	
門戶	문호	문 문	집/지게문 호	(外國에 門戶를 開放하다)	
物色	물색	물건 물	빛 색	(알맞은 사람이나 物件, 場所를 고르는 일)	
物我一體	물아일체	물건 물	나 아	한 일	몸 체
物議	물의	물건/만물 물	의논할 의	(物議를 일으키다)	

迷宮	미궁	미혹할 미	집 궁	(迷宮에 빠지다)	
未練	미련	아닐 미	익힐 련(연)	(未練을 갖다)	
迷妄	미망	미혹할 미	망령될 망	(性急함은 人間을 迷妄에 빠뜨린다)	
美貌	미모	아름다울 미	모양 모		
彌縫策	미봉책	미륵/기울 미	꿰맬 봉	꾀 책	
未富先老	미부선로	아닐 미	부유할 부	먼저 선	늙을 로(노)
美辭麗句	미사여구	아름다울 미	말씀 사	고울 려(여)	글귀 구
未遂	미수	아닐 미	드디어/이룰 수	(殺人未遂)	
未熟	미숙	아닐 미	익을 숙	(運轉未熟)	
迷信	미신	미혹할 미	믿을 신		
微弱	미약	작을 미	약할 약	(心神微弱)	
未曾有	미증유	아닐 미	일찍 증	있을 유	
美風良俗	미풍양속	아름다울 미	바람 풍	어질 량(양)	풍속 속
未畢	미필	아닐 미	마칠 필	(兵役未畢)	
未洽	미흡	아닐 미	흡족할 흡		
民譚	민담	백성 민	클/이야기 담		
民心離叛	민심이반	백성 민	마음 심	떠날 리(이)	배반할 반
敏捷	민첩	민첩할 민	이길/빠를 첩		
密偵	밀정	빽빽할/비밀 밀	염탐할 정		
博覽會	박람회	넓을 박	볼 람(남)	모일 회	
撲滅	박멸	칠 박	꺼질 멸	(寄生蟲 撲滅)	

博物館	박물관	넓을 박	물건 물	집 관	
薄氷	박빙	엷을 박	얼음 빙	(薄氷勝負)	
拍手喝采	박수갈채	칠 박	손 수	꾸짖을/외칠 갈	풍채/캘 채
博而不精	박이부정	넓을 박	말이을 이	아닐 부	정할 정
拍子	박자	칠 박	아들 자	(音程과 拍子)	
拍掌大笑	박장대소	칠 박	손바닥 장	큰 대	웃을 소
拍車	박차	칠 박	수레 차	(마지막 拍車를 가하다)	
剝奪	박탈	벗길 박	빼앗을 탈		
博學多識	박학다식	넓을 박	배울 학	많을 다	알 식
迫害	박해	핍박할 박	해할 해		
半徑	반경	반 반	지름길 경		
反對給付	반대급부	돌이킬 반	대할 대	줄 급	줄 부
半導體	반도체	반 반	인도할 도	몸 체	
反騰	반등	돌이킬 반	오를 등	(반의어 反落)	
叛亂	반란	배반할 반	어지러울 란(난)	(叛亂軍의 首魁)	
返戾	반려	돌이킬 반	어그러질/돌려줄 려(여)	(辭表를 返戾하다)	
伴侶	반려	짝 반	짝 려(여)	(伴侶者, 伴侶犬)	
反面教師	반면교사	돌이킬 반	낯 면	가르칠 교	스승 사
反駁	반박	돌이킬 반	논박할 박	(反駁論理)	
反撥	반발	돌이킬 반	다스릴/돌릴 발	(反撥心理)	
反復	반복	돌이킬 반	회복할/되풀이할 복		
反射神經	반사신경	돌이킬 반	쏠 사	귀신 신	지날 경

半信半疑	반신반의	반 반	믿을 신	의심할 의
班列	반열	나눌 반	벌일 렬(열)	(先進國 班列에 오르다)
伴奏	반주	짝 반	아뢸/연주할 주	(伴奏에 맞춰 노래를 부르다)
飯饌	반찬	밥 반	반찬 찬	
反芻	반추	돌이킬 반	꼴 추	
搬出	반출	옮길 반	날 출	(반의어 搬入)
反哺之孝	반포지효	돌이킬 반	먹일 포	갈/어조사 지 효도 효
反響	반향	돌이킬 반	울릴 향	
拔群	발군	뽑을 발	무리 군	(拔群의 實力)
發掘	발굴	필/팔 발	팔 굴	(遺骸發掘)
勃起	발기	일어날 발	일어날 기	(勃起不全)
拔本塞源	발본색원	뽑을 발	근본 본	막힐/막을 색 근원 원
發靷	발인	필/쏠 발	가슴걸이 인	
拔萃	발췌	뽑을 발	모을 췌	(重要 部分만 拔萃하다)
跋扈	발호	밟을 발	따를/막연할 호	(地方에서 豪族들이 跋扈하다)
發揮	발휘	필/쏠 발	휘두를 휘	
放課後	방과후	놓을 방	공부할 과	뒤 후 (放課後授業)
膀胱	방광	오줌통 방	오줌통 광	
放棄	방기	놓을 방	버릴 기	(責任과 義務의 放棄)
放漫	방만	놓을 방	거만할/느릴 만	(放漫經營)
坊坊曲曲	방방곡곡	동네 방	굽을 곡	
防腐劑	방부제	막을 방	썩을 부	약제 제

彷彿	방불	헤맬/비슷할 방	부처/비슷할 불		
傍若無人	방약무인	곁 방	같을 약	없을 무	사람 인
防禦	방어	막을 방	막을 어	(防禦幕, 防禦線)	
防疫	방역	막을 방	전염병 역	(防疫網, 防疫體系)	
防衛	방위	막을 방	지킬 위	(防衛費, 防衛産業, 防衛事業廳)	
放恣	방자	놓을 방	마음대로/방자할 자	(放恣하기 짝이 없다)	
放電	방전	놓을 방	번개/전기 전	(반의어 充電)	
防除	방제	막을 방	덜 제	(病蟲害 防除)	
放縱	방종	놓을 방	세로/놓아줄 종	(vs 自由)	
傍證	방증	곁 방	증거 증		
傍聽客	방청객	곁 방	들을 청	손 객	
放逐鄕里	방축향리	놓을 방	쫓을 축	시골/고향 향	마을 리
方春和時	방춘화시	모/바야흐로 방	봄 춘	화할/온화할 화	때 시
放置	방치	놓을 방	둘 치	(유의어 傍觀)	
放蕩	방탕	놓을 방	방탕할 탕		
防牌	방패	막을 방	패 패	(槍과 防牌)	
妨害	방해	방해할 방	해할 해	(妨害工作)	
背囊	배낭	등 배	주머니 낭	(背囊旅行)	
排尿障碍	배뇨장애	밀칠 배	오줌 뇨(요)	막을 장	거리낄 애
配達	배달	나눌 배	통달할/전할 달	(迅速配達)	
倍達民族	배달민족	곱 배	통달할 달	백성 민	겨레 족
配當	배당	나눌 배	마땅/보수 당	(配當收益率)	

配慮	배려	나눌 배	생각할 려(여)	(靑少年에 대한 關心과 配慮)	
背山臨水	배산임수	등 배	메 산	임할 림(임)	물 수
排泄	배설	밀칠 배	샐 설		
配送	배송	나눌 배	보낼 송	(當日配送)	
背水之陣	배수지진	등 배	물 수	갈/어조사 지	진칠 진
拜謁	배알	절 배	뵐 알	(스승을 拜謁하다)	
培養	배양	북돋을 배	기를 양	(培養液, 유의어 栽培)	
配列	배열	나눌/짝 배	벌일 렬(열)		
配偶者	배우자	나눌/짝 배	짝 우	놈 자	(配偶者를 고르다)
背恩忘德	배은망덕	배반할 배	은혜 은	잊을 망	클/덕 덕
排除	배제	밀칠 배	덜 제		
排斥	배척	밀칠 배	물리칠 척		
排出	배출	밀칠 배	날 출	(炭素排出權)	
徘徊	배회	어정거릴 배	머뭇거릴 회		
背後	배후	등 배	뒤 후	(유의어 幕後)	
百家爭鳴	백가쟁명	일백 백	전문가/학자가	다툴 쟁	울 명
白骨難忘	백골난망	흰 백	뼈 골	어려울 난	잊을 망
白內障	백내장	흰 백	안 내	막을 장	
百年佳約	백년가약	일백 백	해 년(연)	아름다울 가	약속 약
百年大計	백년대계	일백 백	해 년(연)	큰 대	셀/꾀할 계
百年樹人	백년수인	일백 백	해 년(연)	나무/심을 수	사람 인
百年河淸	백년하청	일백 백	해 년(연)	물 하	맑을 청

百年偕老	백년해로	일백 백	해 년(연)	함께 해	늙을 로(노)
白露	백로	흰백	이슬 로(노)	(24節氣, 處暑와 秋分 사이)	
百萬長者	백만장자	일백 백	일만 만	길/어른 장	놈 자
白面書生	백면서생	흰 백	낯 면	글 서	날/사람 생
百聞不如一見	백문불여일견	일백 백	들을 문	아닐 불, 같을 한 일, 볼 견 여	
百發百中	백발백중	일백 백	필/쏠 발	가운데 중	
白兵戰	백병전	흰 백	병사 병	싸움 전	(유의어 各個戰鬪, 肉薄戰)
伯父	백부	맏 백	아비 부	(아버지의 맏兄)	
白手乾達	백수건달	흰 백	손 수	하늘/마를 건	통달할/방자할 달
白衣民族	백의민족	흰 백	옷 의	백성 민	겨레 족
白衣從軍	백의종군	흰 백	옷 의	좇을 종	군사 군
百戰百勝	백전백승	일백 백	싸움 전	이길 승	
百戰不殆	백전불태	일백 백	싸움 전	아닐 불	위태로울 태
百折不屈	백절불굴	일백 백	꺾을 절	아닐 불	굽힐 굴
百折不撓	백절불요	일백 백	꺾을 절	아닐 불	어지러울/휠 요
白丁	백정	흰 백	고무래/장정 정	(過去에는 白丁을 賤한 身分으로 여김)	
伯仲之勢	백중지세	맏 백	버금 중	갈/어조사 지 형세 세	
百尺竿頭	백척간두	일백 백	자 척	낚싯대 간	머리 두
百八煩惱	백팔번뇌	일백 백	여덟 팔	번거로울 번	번뇌할 뇌
煩悶	번민	번거로울 번	답답할 민		
蕃盛	번성	우거질 번	성할 성	(= 繁盛)	

繁殖	번식	번성할 번	불릴 식	
飜案	번안	번역할 번	책상/초안 안	
飜譯	번역	번역할 번	번역할 역	
繁昌	번창	번성할 번	창성할 창	(유의어 繁盛, 繁榮, 隆盛)
繁體字	번체자	번성할 번	몸 체 글자 자	(vs 簡體字)
氾濫	범람	넘칠 범	넘칠 람(남)	(= 汎濫)
帆船	범선	돛 범	배 선	
凡失	범실	무릇 범	잃을/실수 실	(守備手의 凡失이 잦다)
範圍	범위	법/한계 범	에워쌀 위	
犯接	범접	범할 범	이을 접	(함부로 犯接하기가 어려웠다)
犯罪	범죄	범할 범	허물 죄	(犯罪小說)
範疇	범주	법/한계 범	이랑 주	(範疇 안에 들다)
法古創新	법고창신	법/본받을 법	옛 고 비롯할/만들 신 창	새 신
劈頭	벽두	쪼갤 벽	머리 두	(새해 劈頭부터...)
碧眼	벽안	푸를 벽	눈 안	(碧眼의 宣教師)
辯論	변론	말씀/변론할 변	논할 론(논)	(辯護士)
辨明	변명	분별할/변론할 변	밝을 명	(苟且한 辨明)
便祕	변비	똥오줌 변	숨길 비	
辨償	변상	분별할 변	갚을 상	(유의어 賠償, 報償)
變裝	변장	변할 변	꾸밀 장	(變裝術)
辨濟	변제	분별할 변	건널 제	(債務辨濟)
邊竹	변죽	가 변	대 죽	(邊竹을 울리다)

別途	별도	나눌/다를 별	길 도	(別途積立金)	
兵家常事	병가상사	병사 병	집 가	항상 상	일 사
竝列	병렬	나란히 병	벌일 렬(열)		
竝設	병설	나란히 병	베풀/세울 설	(竝設幼稚園)	
兵站	병참	병사 병	역마을 참	(兵站基地)	
屛風	병풍	병풍 병	바람 풍	(屛風石, 8幅 屛風)	
輔國	보국	도울 보	나라 국		
補闕選擧	보궐선거	기울 보	대궐/이지러질 궐	가릴/뽑을 선	들 거
步武堂堂	보무당당	걸음 보	호반 무	집/당당할 당	
報復	보복	갚을 보	회복할/갚을 복	(유의어 復讐)	
補償	보상	기울 보	갚을 상		
保釋	보석	지킬 보	풀 석	(病保釋)	
保稅區域	보세구역	지킬 보	세금 세	구분할 구	지경 역
保障	보장	지킬 보	막을 장	(勞動 3權의 保障)	
步哨	보초	걸음 보	망볼 초		
普遍的福祉	보편적복지	넓을 보	두루 편	과녁/어조사 적	복 복, 복 지
保險	보험	지킬 보	험할 험		
報勳	보훈	갚을 보	공 훈	(國家報勳部)	
覆蓋	복개	덮을 복	덮을 개	(開川 覆蓋作業)	
復舊	복구	회복할 복	예 구		
復棋	복기	회복할/되풀이할 복	바둑 기	(復棋를 통해 敗因을 分析하다)	
複道	복도	겹칠 복	길 도		

伏魔殿	복마전	엎드릴 복	마귀 마	전각 전	
復元	복원	회복할 복	으뜸/근원 원	(寫眞復元, 生態復元)	
本末顚倒	본말전도	근본 본	끝 말	엎드러질 전	넘어질 도
封建制度	봉건제도	봉할 봉	세울 건	절제할/지을 제	법도 도
俸給	봉급	녹 봉	줄 급	(俸給生活者)	
蜂起	봉기	벌 봉	일어날 기	(武裝蜂起)	
逢變	봉변	만날 봉	변할/변고 변		
封印	봉인	봉할 봉	도장 인		
逢着	봉착	만날 봉	붙을 착	(難關에 逢着하다)	
縫合	봉합	꿰맬 봉	합할 합		
附加價値	부가가치	붙을 부	더할 가	값 가	값 치
浮刻	부각	뜰 부	새길 각		
剖檢	부검	쪼갤 부	검사할 검	(屍身剖檢)	
訃告	부고	부고 부	고할 고	(訃告狀)	
賦課	부과	부세 부	공부할/매길 과	(關稅賦課)	
剖棺斬屍	부관참시	쪼갤 부	널 관	벨 참	주검 시
富貴榮華	부귀영화	부유할 부	귀할 귀	영화 영	꽃 화
不當徵收	부당징수	아닐 불(부)	마땅 당	부를 징	거둘 수
不渡	부도	아닐 불(부)	건널 도	(連鎖不渡)	
附錄	부록	붙을 부	기록할 록(녹)		
夫婦有別	부부유별	지아비 부	지어미 부	있을 유	다를 별
負傷	부상	질 부	다칠 상		

附屬	부속	붙을 부	무리 속	
腐蝕	부식	썩을 부	좀먹을 식	
扶養	부양	도울 부	기를 양	(扶養家族)
浮揚	부양	뜰 부	날릴 양	(景氣浮揚)
賦役	부역	부세 부	부릴 역	(온갖 稅金과 賦役에 시달렸다)
夫爲婦綱	부위부강	지아비 부	할/될 위	지어미 부 벼리 강
父爲子綱	부위자강	아비 부	할/될 위	아들 자 벼리 강
副應	부응	버금 부	응할 응	(期待에 副應하다)
附議	부의	붙을 부	의논할 의	(附議案件)
赴任	부임	다다를 부	맡길 임	
父子有親	부자유친	아비 부	아들 자	있을 유 친할 친
不在中電話	부재중전화	아닐 불(부)	있을 재	가운데 중 번개 전, 말씀 화
父傳子傳	부전자전	아비 부	전할 전	아들 자
不淨腐敗	부정부패	아닐 불(부)	깨끗할 정	썩을 부 패할/썩을 패
扶助	부조	도울 부	도울 조	
不條理	부조리	아닐 불(부)	가지 조	다스릴/도리 리(이)
賦存資源	부존자원	부세/줄 부	있을 존	재물 자 근원 원
浮腫	부종	뜰 부	종기 종	(몸이 붓는 症狀)
不知其數	부지기수	아닐 불(부)	알 지	그 기 셈 수
不振	부진	아닐 불(부)	떨칠 진	
夫唱婦隨	부창부수	지아비 부	부를 창	지어미 부 따를 수
付託	부탁	줄/부탁할 부	부탁할 탁	

附合	부합	붙을 부	합할 합	(國益에 附合하다)
符號	부호	부호 부	이름 호	
孵化	부화	알깔 부	될 화	
附和雷同	부화뇌동	붙을 부	화할 화	우레 뢰(뇌) 한가지 동
憤慨	분개	분할 분	슬퍼할 개	
粉骨碎身	분골쇄신	가루 분	뼈 골	부술 쇄 몸 신
紛糾	분규	어지러울 분	얽힐 규	
分岐點	분기점	나눌 분	갈림길 기	점 점
憤氣撑天	분기탱천	분할 분	기운 기	버틸 탱 하늘 천
憤怒	분노	분할 분	성낼 노	
糞尿	분뇨	똥 분	오줌 뇨(요)	
紛亂	분란	어지러울 분	어지러울 란(난)	(紛亂을 일으키다)
分娩	분만	나눌 분	해산할 만	
奮發	분발	떨칠 분	필/쏠 발	
紛紛	분분	어지어울 분	(意見이 紛紛하다)	
分泌	분비	나눌 분	분비할 비	
分析	분석	나눌 분	쪼갤 석	(審査分析)
粉碎機	분쇄기	가루 분	부술 쇄	틀 기 (유의어 破碎機)
噴水	분수	뿜을 분	물 수	(市廳 앞 噴水臺)
焚身	분신	불사를 분	몸 신	
分讓	분양	나눌 분	사양할/넘겨줄 양	(住宅分讓)
分裂	분열	나눌 분	찢을 렬(열)	(社會分裂)

雰圍氣	분위기	눈날릴 분	에워쌀 위	기운 기	
分掌	분장	나눌 분	손바닥/맡을 장	(유의어 分擔)	
紛爭	분쟁	어지러울 분	다툴 쟁	(반의어 和解)	
奮戰	분전	떨칠 분	싸움 전	(유의어 奮鬪)	
奔走	분주	달릴 분	달릴 주		
噴出	분출	뿜을 분	날 출	(噴出口)	
焚蕩	분탕	불사를 분	방탕할 탕	(焚蕩과 掠奪을 恣行하다)	
憤痛	분통	분할 분	아플 통	(憤痛이 터지다)	
焚香	분향	불사를 분	향기/향 향	(市民焚香所 設置)	
不可思議	불가사의	아닐 불	옳을/가히 가	생각 사	의논할 의
不敢毁傷孝之始也	불감훼상효지시야	아닐 불, 감히 감	헐 훼, 다칠 상	효도 효, 갈/어조사 지	비로서 시, 어조사 야
不具	불구	아닐 불	갖출 구	(身體不具者)	
不拘	불구	아닐 불	잡을/거리낄 구	(~에도 不拘하고)	
不俱戴天	불구대천	아닐 불	함께 구	일 대	하늘 천
不勞所得	불로소득	아닐 불	일할 로	바 소	얻을 득
不問可知	불문가지	아닐 불	물을 문	옳을/가히 가	알 지
不問曲直	불문곡직	아닐 불	물을 문	굽을 곡	곧을 직
不美	불미	아닐 불	아름다울 미	(不美스러운 關係)	
不祥事	불상사	아닐 불	상서로울 상	일 사	
不要不急	불요불급	아닐 불	요긴할 요	급할 급	
不容置喙	불용치훼	아닐 불	얼굴/용납할 용	둘 치	부리 훼
不遠千里	불원천리	아닐 불	멀 원	일천 천	마을/거리

不撤晝夜	불철주야	아닐 불	거둘 철	낮 주	밤 야
不肖小生	불초소생	아닐 불	닮을 초	작을 소	날/살 생
不恥下問	불치하문	아닐 불	부끄러울 치	아래 하	물을 문
不偏不黨	불편부당	아닐 불	치우칠 편	아닐 부	무리 당
不飽和	불포화	아닐 불	배부를 포	화할 화	
不惑	불혹	아닐 불	미혹할 혹	(40세, 50세는 知天命)	
崩壞	붕괴	무너질 붕	무너질 괴		
朋友有信	붕우유신	벗 붕	벗 우	있을 유	믿을 신
鵬程萬里	붕정만리	붕새 붕	한도 정	일만 만	마을/거리 리(이)
秘訣	비결	숨길 비	이별할/비결 결		
比丘尼	비구니	견줄 비	언덕 구	여승 니(이)	(女僧)
卑屈	비굴	낮을 비	굽힐 굴		
非難	비난	아닐/비방할 비	어려울/힐난할 난		
沸騰	비등	끓을 비	오를 등	(各界의 輿論이 沸騰하다)	
鄙陋	비루	더러울 비	더러울 루(누)		
飛沫	비말	날 비	물거품 말		
碑銘	비명	비석 비	새길 명		
非命橫死	비명횡사	아닐 비	목숨 명	가로/갑작스러 울 횡	죽을 사
非夢似夢	비몽사몽	아닐 비	꿈 몽	닮을 사	
秘密番號	비밀번호	숨길 비	빽빽할/비밀 밀	차례 번	부를/이름 호
誹謗	비방	헐뜯을 비	헐뜯을 방		

悲憤慷慨	비분강개	슬플 비	분할 분	강개할 강	슬퍼할 개
飛翔	비상	날 비	날 상		
秘線組織	비선조직	숨길 비	줄 선	짤 조	짤 직
卑劣	비열	낮을 비	못할 렬(열)		
非違	비위	아닐 비	어긋날 위	(非違事實, 非違通報)	
比喩	비유	견줄 비	깨우칠 유		
髀肉之歎	비육지탄	넓적다리 비	고기 육	갈/어조사 지	탄식할 탄
非一非再	비일비재	아닐 비	한 일	두 재	
批准	비준	비평할 비	준할/승인할 준		
悲慘	비참	슬플 비	참혹할 참		
備蓄	비축	갖출 비	모을 축	(戰略備蓄油)	
批判	비판	비평할 비	판단할 판		
非行	비행	아닐 비	다닐/행실 행	(非行靑少年)	
庇護	비호	덮을 비	도울 호	(庇護하는 勢力이 있다)	
頻度	빈도	자주 빈	법도/도수 도		
頻繁	빈번	자주 빈	번성할 번		
貧富隔差	빈부격차	가난할 빈	부유할 부	사이뜰 격	다를 차
瀕死	빈사	물가/가까울 빈	죽을 사	(瀕死狀態)	
殯所	빈소	빈소 빈	바/곳 소	(殯所를 차리다)	
貧益貧 富益富	빈익빈 부익부	가난할 빈	더할 익	부유할 부	
嚬蹙	빈축	찡그릴 빈	닥칠 축	(嚬蹙을 사다)	

聘父	빙부	부를/장가들 빙	아비 부	(다른 사람의 丈人)	
氷山一角	빙산일각	얼음 빙	메 산	한 일	뿔 각
憑依	빙의	기댈 빙	의지할 의		
氷炭之間	빙탄지간	얼음 빙	숯 탄	갈/어조사 지	사이 간
四顧無親	사고무친	넉 사	돌아볼 고	없을 무	친할 친
四顧無託	사고무탁	넉 사	돌아볼 고	없을 무	부탁할 탁
謝過	사과	사례할 사	지날/잘못 과	(甚深한 謝過)	
事君以忠	사군이충	일/섬길 사	임금 군	써 이	충성 충
士氣	사기	선비/군사 사	기운 기	(士氣振作)	
士農工商	사농공상	선비 사	농사 농	장인 공	장사 상
祠堂	사당	사당 사	집 당		
飼料	사료	기를 사	헤아릴/거리 료(요)	(愛玩動物 飼料)	
思料	사료	생각 사	헤아릴 료(요)	(생각하여 헤아림)	
赦免	사면	용서할 사	면할 면	(特別赦免)	
四面楚歌	사면초가	넉 사	낯 면	초나라 초	노래 가
思慕	사모	생각 사	그릴 모		
紗帽冠帶	사모관대	비단 사	모자 모	갓 관	띠 대
四方八方	사방팔방	넉 사	모/방향 방	여덟 팔	
師範	사범	스승 사	법/모범 범	(師範大學, 跆拳道 師範)	
司法府	사법부	맡을 사	법 법	마을/관청 부	
沙上樓閣	사상누각	모래 사	위 상	누각 누	집 각
死生決斷	사생결단	죽을 사	날/살 생	결단할 결	끊을 단

些少	사소	적을 사	적을 소	(些少한 일이 불씨가 되어…)
四時長春	사시장춘	넉 사	때/계절 시	길/늘 장　봄 춘
斜陽	사양	비낄 사	볕 양	(斜陽産業)
仕樣	사양	섬길/살필 사	모양 양	(高仕樣 컴퓨터)
辭讓之心	사양지심	말씀/사양할 사	사양할 양	갈/어조사 지　마음 심
事緣	사연	일 사	인연 연	(崎嶇한 事緣)
思惟	사유	생각 사	생각할 유	(유의어 思考)
似而非	사이비	닮을 사	말이을 이	아닐 비
射程圈	사정권	쏠 사	한도 정	우리/구역 권 (射程圈 內에 들어오다)
事情事情	사정사정	일 사	뜻 정	(事情事情 哀願하다)
思潮	사조	생각 사	조수/흐름 조	(文藝思潮)
蛇足	사족	긴뱀 사	발 족	
謝罪	사죄	사례할 사	허물 죄	
使嗾	사주	하여금 사	부추길 주	(= 敎唆)
四柱八字	사주팔자	넉 사	기둥 주	여덟 팔　글자 자
四肢	사지	넉 사	팔다리 지	
辭職	사직	말씀/사퇴할 사	직분 직	(= 辭任)
寺刹	사찰	절 사	절 찰	
奢侈	사치	사치할 사	사치할 치	(儉素의 반의어)
事親以孝	사친이효	일/섬길 사	친할/어버이 친	써 이　효도 효
詐稱	사칭	속일 사	일컬을 칭	(公務員 詐稱)
四通五達	사통오달	넉 사	통할 통	다섯 오　통달할 달

辭退	사퇴	말씀/사퇴할	물러날 퇴		
		사			
事必歸正	사필귀정	일 사	반드시 필	돌아올/갈 귀	바를 정
四海兄弟	사해형제	넉 사	바다 해	형 형	아우 제
射倖産業	사행산업	쏠 사	요행 행	낳을 산	업 업
士禍	사화	선비 사	재앙 화	(四大士禍)	
死後藥方文	사후약방문	죽을 사	뒤 후,	모/처방 방	글월/문서 문
			약 약		
削減	삭감	깎을 삭	덜 감	(豫算 削減)	
索莫	삭막	노/쓸쓸할	없을 막		
		삭			
削奪官職	삭탈관직	깎을 삭	빼앗을 탈	벼슬 관	직분 직
朔風	삭풍	초하루/북녘	바람 풍	(겨울바람)	
		삭			
山間僻地	산간벽지	메 산	사이 간	후미질 벽	땅 지
山間奧地	산간오지	메 산	사이 간	깊을 오	땅 지
散漫	산만	흩을 산	질펀할/	(注意散漫)	
			흩어질 만		
山脈	산맥	메 산	줄기 맥		
山沙汰	산사태	메 산	모래 사	일/미끄러질	
				태	
山岳	산악	메 산	큰산 악		
山戰水戰	산전수전	메 산	싸움 전	물 수	
山情無限	산정무한	메 산	뜻 정	없을 무	한할 한
山中豪傑	산중호걸	메 산	가운데 중	호걸 호	뛰어날 걸
産地都買	산지도매	낳을 산	땅 지	도읍/모두 도	살 매
算筒	산통	셈 산	대통 통	(算筒 깨다)	
傘下	산하	우산 산	아래 하		

山海珍味	산해진미	메 산	바다 해	보배 진	맛 미
殺菌劑	살균제	죽일 살	버섯/세균 균	약제 제	
殺伐	살벌	죽일 살	칠 벌	(殺伐한 雰圍氣)	
殺生有擇	살생유택	죽일 살	날/살 생	있을 유	가릴 택
殺身成仁	살신성인	죽일 살	몸 신	이룰 성	어질 인
撒布	살포	뿌릴 살	베/펼 포		
三綱五倫	삼강오륜	석 삼	벼리 강	다섯 오	인륜 륜(윤)
三顧草廬	삼고초려	석 삼	돌아볼 고	풀 초	오두막집 려
三國遺事	삼국유사	석 삼	나라 국	남길 유	일 사
森羅萬象	삼라만상	수풀 삼	벌일 라(나)	일만 만	코끼리/모양 상
三昧境	삼매경	석 삼	어두울 매	지경 경	(讀書三昧境에 빠지다)
三三五五	삼삼오오	석 삼	다섯 오		
三旬九食	삼순구식	석 삼	열흘 순	아홉 구	밥 식
三十六計	삼십육계	석 삼	열 십	여섯 륙(육)	셀/꾀할 계
三位一體	삼위일체	석 삼	자리 위	한 일	몸 체
三人成虎	삼인성호	석 삼	사람 인	이룰 성	범 호
三日遊街	삼일유가	석 삼	날 일	놀 유	거리 가
三從之道	삼종지도	석 삼	좇을 종	갈/어조사 지	길/도리 도
三振	삼진	석 삼	떨칠 진	(三振 아웃, 奪三振)	
三銃士	삼총사	석 삼	총 총	선비/사내 사	
三寒四溫	삼한사온	석 삼	찰 한	넉 사	따뜻할 온
霎時間	삽시간	가랑비/잠시 때 시 삽	사이 간	(유의어 瞬息間)	

揷畵	삽화	꽂을 삽	그림 화	
霜降	상강	서리 상	내릴 강	(24節氣, 寒露와 立冬사이)
上命下服	상명하복	위 상	목숨/명령 명	아래 하 옷/복종할 복
尙武	상무	오히려/숭상할 상	호반 무	
相扶相助	상부상조	서로 상	도울 부	도울 조
想像	상상	생각 상	모양 상	
上善若水	상선약수	위 상	착할 선	같을 약 물 수
上疏	상소	위 상	소통할 소	(임금에게 올리던 글)
相續	상속	서로 상	이을 속	(相續法, 相續稅, 相續權)
常習犯	상습범	항상 상	익힐 습	범할 범
喪輿	상여	잃을 상	수레 여	(喪輿歌)
上位圈	상위권	위 상	자리 위	우리 권
傷痍軍人	상이군인	다칠 상	상처 이	군사 군 사람 인
桑田碧海	상전벽해	뽕나무 상	밭 전	푸를 벽 바다 해
上程	상정	위 상	한도/나타낼 정	(改正案을 上程하다)
象徵	상징	코끼리/모양 상	부를 징	
傷處	상처	다칠 상	곳 처	
上下撑石	상하탱석	위 상	아래 하	버틸 탱 돌 석
相互關係	상호관계	서로 상	서로 호	관계할 관 맬 계
狀況	상황	형상 상	상황 황	
塞翁之馬	새옹지마	변방 새	늙은이 옹	갈/어조사 지 말 마
色素沈着	색소침착	빛 색	본디/성질 소	잠길 침 붙을 착

索引	색인	찾을 색	끌 인	
色彩	색채	빛 색	채색 채	
索出	색출	찾을 색	날 출	(犯人을 索出하다)
生硬	생경	날/서툴 생	굳을 경	(生硬한 表現)
生老病死	생로병사	날 생	늙을 로(노)	병 병 죽을 사
生面不知	생면부지	날 생	낯 면	아닐 부 알 지
生死苦樂	생사고락	날/살 생	죽을 사	쓸 고 즐길 락(낙)
生色	생색	날/살 생	빛/낯 색	(生色내기에 不過하다)
生疏	생소	날/서툴 생	소통할/멀 소	(낯설음, 서투름)
生殖	생식	날 생	불릴 식	(生殖器官)
生涯	생애	날/살 생	물가/끝 애	
生者必滅	생자필멸	날/살 생	놈 자	반드시 필 꺼질 멸
生存競爭	생존경쟁	날/살 생	있을 존	다툴 경 다툴 쟁
生態系	생태계	날/살 생	모양 태	맬/이을 계
逝去	서거	갈 서	갈 거	
序幕	서막	차례/서문 서	장막 막	(序幕을 열다)
庶民	서민	여러 서	백성 민	(庶民階層)
西房	서방	서녘 서	방 방	(사위를 높이어 이르는 말)
瑞雪	서설	상서 서	눈 설	(설날 아침 瑞雪이 내리다)
敍述	서술	펼 서	펼 술	
棲息	서식	깃들일 서	쉴 식	(集團棲息)
誓約書	서약서	맹세할 서	맺을 약	글 서

序列	서열	차례 서	벌일 렬(열)	(序列文化)
庶子	서자	여러/서출 서	아들 자	(홍길동은 庶子로 태어났다)
書齋	서재	글 서	집 재	
庶出	서출	여러/서출 서	날 출	(妾의 子息, 반의어 嫡出)
書翰	서한	글 서	편지 한	
席藁待罪	석고대죄	자리 석	짚 고	기다릴 대 허물/형벌 죄
席卷	석권	자리 석	책/말 권	(메이저 大會를 모두 席卷하다)
石綿	석면	돌 석	솜 면	(石綿工事)
釋放	석방	풀/놓을 석	놓을 방	(良心囚 釋放)
石筍	석순	돌 석	죽순 순	
釋然	석연	풀 석	그럴 연	(雰圍氣가 釋然치 않다)
碩座敎授	석좌교수	클 석	자리 좌	가르칠 교 줄 수
碩學	석학	클 석	배울 학	
先見之明	선견지명	먼저/앞 선	볼 견	갈/어조사 지 밝을 명
先公後私	선공후사	먼저/앞 선	공변될 공	뒤 후 사사로울 사
善男善女	선남선녀	착할 선	사내 남	여자 녀(여)
煽動	선동	부채질할 선	움직일 동	(政治的 煽動)
羨望	선망	부러워할 선	바랄 망	(羨望의 對象)
禪問答	선문답	선 선	물을 문	대답 답 (禪問答하는 듯하다)
膳物	선물	선물 선	물건 물	
選民意識	선민의식	가릴 선	백성 민	뜻 의 알 식
善防	선방	착할/잘할 선	막을 방	

先鋒	선봉	먼저/앞 선	칼날 봉	(先鋒을 맡다)
膳賜	선사	선물 선	줄 사	
宣誓	선서	베풀 선	맹세할 서	
先塋	선영	먼저 선	무덤 영	(유의어 先山)
旋律	선율	돌 선	법칙 률(율)	(클래식 旋律에 心醉하다)
善戰	선전	착할/잘할 선	싸움 전	(最强者를 만나 善戰했다)
宣戰布告	선전포고	베풀 선	싸움 전	베/펼 포 　고할 고
煽情的	선정적	부채질할 선	뜻/욕망 정	과녁/어조사 적
選擇	선택	가릴 선	가릴 택	
扇風機	선풍기	부채 선	바람 풍	틀 기
選好	선호	가릴 선	좋을 호	(選好度調査)
旋回	선회	돌 선	돌아올 회	
先後輩	선후배	먼저/앞 선	뒤 후	무리 배　(先後輩 懇談會)
泄瀉	설사	샐 설	쏟을 사	(배탈 났을 때 누는 묽은 똥)
設使	설사	베풀 설	하여금 사	(設令, 그렇다 하더라도)
雪上加霜	설상가상	눈 설	위 상	더할 가　　서리 상
說往說來	설왕설래	말씀 설	갈 왕	올 래(내)
纖纖玉手	섬섬옥수	가늘 섬	구슬 옥	손 수
纖維	섬유	가늘 섬	벼리 유	
涉獵	섭렵	건널 섭	사냥 렵(엽)	(多樣한 춤을 涉獵하다)
攝理	섭리	다스릴 섭	다스릴 리(이)	(自然의 攝理)
攝政	섭정	다스릴 섭	정사 정	(어린 高宗을 代身하여 大院君이 攝政하다)

攝取	섭취	다스릴 섭	가질 취		
星團	성단	별 성	둥글/집단 단		
聲帶模寫	성대모사	소리 성	띠 대	본뜰 모	베낄 사
聲東擊西	성동격서	소리 성	동녘 동	칠 격	서녘 서
誠心誠意	성심성의	정성 성	마음 심	뜻 의	
聲援	성원	소리 성	도울 원	(유의어 激勵)	
成績	성적	이룰 성	길쌈할/성과 적	(成績表)	
聲討	성토	소리 성	칠 토		
姓銜	성함	성씨 성	재갈/직함 함	(姓名의 높임말)	
成形	성형	이룰 성	모양 형	(成形外科)	
性戲弄	성희롱	성품/성별 성	놀이 희	희롱할 롱(농)	
細菌	세균	가늘 세	버섯/세균 균		
歲暮	세모	해 세	저물 모	(歲暮風景)	
世上物情	세상물정	인간 세	위 상	물건 물	뜻/사정 정
世俗五戒	세속오계	인간 세	풍속 속	다섯 오	경계할 계
世襲	세습	인간 세	엄습할/물려받을 습	(經營世襲)	
洗濯	세탁	씻을 세	씻을 탁		
細胞	세포	가늘 세	세포 포		
歲寒三友	세한삼우	해 세	찰 한	석 삼	벗 우
燒却爐	소각로	사를 소	물리칠 각	화로 로(노)	
所感	소감	바 소	느낄 감		
紹介	소개	이을 소	낄 개	(自己紹介書, 職業紹介所)	

騷亂	소란	떠들 소	어지러울 란(난)	
小滿	소만	작을 소	찰 만	(24節氣, 立夏와 芒種 사이)
召命意識	소명의식	부를 소	목숨/명령 명 뜻 의	알 식
消耗	소모	사라질/ 소모할 소	소모할 모	
素描	소묘	본디 소	그릴 묘	(밑그림)
所聞	소문	바 소	들을 문	(所聞이 播多하다)
素朴	소박	본디 소	나무껍질/ 소박할 박	(유의어 儉素, 淳朴)
消防署	소방서	사라질 소	막을 방	관청 서
昭詳	소상	밝을 소	자세할 상	
訴訟	소송	호소할/ 고소할 소	송사할 송	
消息	소식	사라질/소식 소	쉴 식	(無消息이 喜消息)
消炎劑	소염제	사라질 소	불꽃 염	약제 제
疎外	소외	성길 소	바깥 외	
騷擾	소요	떠들 소	시끄러울 요	(騷擾事態)
所用	소용	바 소	쓸 용	
所願	소원	바 소	원할 원	(= 所望)
疏遠	소원	소통할/ 소원할 소	멀 원	(關係가 疏遠하다)
騷音	소음	떠들 소	소리 음	(層間騷音)
消日	소일	사라질/ 소모할 소	날 일	(消日거리를 찾다)
所藏	소장	바/곳 소	감출/지킬 장	(美術品을 所藏하다)
所重	소중	바 소	무거울 중	
訴追	소추	호소할/ 고소할 소	쫓을 추	(彈劾訴追)

疏脫	소탈	소통할 소	벗을 탈	(유의어 素朴)	
小貪大失	소탐대실	작을 소	탐낼 탐	큰 대	잃을 실
掃蕩	소탕	쓸 소	방탕할/흔들 탕	(共匪掃蕩)	
疏通	소통	소통할 소	통할 통		
疏忽	소홀	소통할/소원할 소	갑자기/경시할 홀		
消化劑	소화제	사라질 소	될 화	약제 제	
所懷	소회	바 소	품을 회		
俗談	속담	풍속 속	말씀 담		
束縛	속박	묶을 속	묶을 박		
束手無策	속수무책	묶을 속	손 수	없을 무	꾀 책
贖罪	속죄	속죄할 속	허물 죄		
損失補塡	손실보전	덜 손	잃을 실	기울 보	메울 전
損害賠償	손해배상	덜 손	해할 해	물어줄 배	갚을 상
率先垂範	솔선수범	거느릴 솔	먼저/앞 선	드리울 수	법/본보기 범
率直淡白	솔직담백	거느릴/소탈할 솔	곧을 직	맑을 담	흰 백
悚懼	송구	두려울 송	두려워할 구		
送舊迎新	송구영신	보낼 송	예 구	맞을 영	새 신
宋襄之仁	송양지인	성씨 송	도울 량(양)	갈/어조사 지	어질 인
送致	송치	보낼 송	이를 치	(事件을 檢察로 送致하다)	
鎖國政策	쇄국정책	쇠사슬 쇄	나라 국	정사 정	꾀 책
刷新	쇄신	인쇄할 쇄	새 신		
衰弱	쇠약	쇠할 쇠	약할 약	(굶주림으로 몸이 衰弱해지다)	

酬價	수가	갚을 수	값 가	(醫療保險酬價)	
收監	수감	거둘/잡을 수	볼/감옥 감	(收監生活)	
首魁	수괴	머리 수	괴수 괴	(內亂首魁)	
修交	수교	닦을 수	사귈 교		
首丘初心	수구초심	머리 수	언덕 구	처음 초	마음 심
首肯	수긍	머리 수	즐길/수긍할 긍		
受納	수납	받을 수	들일 납	(受納空間)	
受諾	수락	받을 수	허락할 락	(受諾演說)	
收斂	수렴	거둘 수	거둘 렴(염)	(意見收斂)	
垂簾聽政	수렴청정	드리울 수	발 렴(염)	들을 청	정사 정
狩獵	수렵	사냥할 수	사냥 렵(엽)		
受賂	수뢰	받을 수	뇌물 뢰(뇌)	(受賂嫌疑)	
手榴彈	수류탄	손 수	석류나무 류(유)	탄알 탄	(手榴彈던지기)
睡眠	수면	졸음 수	잘 면	(睡眠不足)	
隨伴	수반	따를 수	짝 반		
手配	수배	손 수	나눌 배	(犯人手配)	
壽福康寧	수복강녕	목숨 수	복 복	편안할 강	편안할 녕(영)
手不釋卷	수불석권	손 수	아닐 불	풀/놓을 석	책 권
守備	수비	지킬 수	갖출 비		
搜査	수사	찾을 수	조사할 사		
修繕	수선	닦을 수	기울 선		
守勢	수세	지킬 수	형세 세	(攻勢의 반의어)	

搜所聞	수소문	찾을 수	바 소	들을 문	
授受	수수	줄 수	받을 수	(金品授受)	
手數料	수수료	손 수	셈 수	헤아릴/값 료(요)	(送金手數料)
袖手傍觀	수수방관	소매 수	손 수	곁 방	볼 관
受信者負擔	수신자부담	받을 수	믿을 신	놈 자	질 부, 멜 담
修身齊家	수신제가	닦을 수	몸 신	가지런할 제	집 가
水魚之交	수어지교	물 수	물고기 어	갈/어조사 지	사귈 교
壽宴	수연	목숨 수	잔치 연	(還甲잔치)	
羞惡之心	수오지심	부끄러울 수	악할 악/ 미워할 오	갈/어조사 지	마음 심
誰怨誰咎	수원수구	누구 수	원망할 원	허물/꾸짖을 구	
授乳	수유	줄 수	젖 유	(母乳授乳)	
收率	수율	거둘 수	거느릴 솔/비율 률(율)	(安定的인 品質 提供 및 收率 擴大)	
隨意契約	수의계약	따를 수	뜻 의	맺을 계	맺을 약
收入	수입	거둘 수	들 입	(支出의 반의어)	
輸入	수입	보낼 수	들 입	(輸出의 반의어)	
收藏庫	수장고	거둘 수	감출 장	곳집 고	(博物館 收藏庫)
守錢奴	수전노	지킬 수	돈 전	종 노	(高利貸金業者)
修正	수정	닦을/고칠 수	바를 정		
受精	수정	받을 수	정할/정액 정	(體外受精)	
守株待兔	수주대토	지킬 수	그루 주	기다릴 대	토끼 토
水準	수준	물 수	준할/표준 준	(水準이 맞다)	

垂直	수직	드리울 수	곧을 직	
袖珍本	수진본	소매 수	보배 진	근본/책 본 (포킷형의 冊)
瘦瘠	수척	파리할 수	파리할 척	(얼굴이 많이 瘦瘠하다)
收奪	수탈	거둘 수	빼앗을 탈	
隨筆	수필	따를 수	붓 필	
遂行	수행	드디어/이룰 수	다닐/행할 행	(計劃한 대로 해냄)
隨行	수행	따를 수	다닐 행	(隨行秘書)
輸血	수혈	보낼 수	피 혈	(緊急輸血)
受惠	수혜	받을 수	은혜 혜	(惠澤을 받음)
收穫	수확	거둘 수	거둘 확	(收穫量)
數爻	수효	셈 수	수효 효	
熟達	숙달	익을 숙	통달할 달	
熟練	숙련	익을 숙	익힐 련(연)	(유의어 熟鍊, 熟鍊工)
菽麥不辨	숙맥불변	콩 숙	보리 맥	아닐 불 분별할 변
宿命	숙명	잘/오래될 숙	목숨/운명 명	(유의어 運命)
宿泊	숙박	잘 숙	머무를 박	
熟成	숙성	익을 숙	이룰 성	(김치가 잘 熟成되다)
肅然	숙연	엄숙할 숙	그럴 연	(法廷의 雰圍氣가 肅然하다)
宿願	숙원	잘/오래될 숙	원할 원	(宿願事業)
熟肉	숙육	익을 숙	고기 육	('수육'의 원래 말)
熟知	숙지	익을 숙	알 지	
宿醉	숙취	잘/오래될 숙	취할 취	(宿醉解消)

宿患	숙환	잘/오래될 숙	근심/병 환	(宿患으로 別世하다)	
夙興夜寐	숙흥야매	이를 숙	일 흥	밤 야	잘 매
瞬間	순간	깜짝일 순	사이 간		
殉國先烈	순국선열	따라죽을 순	나라 국	먼저/앞 선	세찰/불사를 렬(열)
巡禮地	순례지	돌 순	예도 례(예)	땅 지	(巡禮地에 오르다)
脣亡齒寒	순망치한	입술 순	망할/없어질 망	이 치	찰 한
淳朴	순박	순박할 순	나무껍질/ 순박할 박	(유의어 淡白, 素朴)	
瞬發力	순발력	깜짝일 순	필/행할 발	힘 력(역)	(瞬發力測定)
巡訪	순방	돌 순	찾을 방		
巡視	순시	돌 순	볼 시	(初度巡視)	
巡洋艦	순양함	돌 순	큰바다 양	큰배 함	
脣音	순음	입술 순	소리 음		
殉葬	순장	따라죽을 순	장사지낼 장		
殉職	순직	따라죽을 순	직분 직	(殉職處理)	
純眞無垢	순진무구	순수할 순	참 진	없을 무	때 구
循環	순환	돌 순	고리 환	(循環補職)	
崇尙	숭상	높을 숭	오히려/ 숭상할 상	(文武崇尙)	
膝下	슬하	무릎 슬	아래 하	(膝下에 三 男妹를 두다)	
襲擊	습격	엄습할 습	칠 격		
褶曲	습곡	주름 습	굽을 곡	(褶曲山脈)	
習慣	습관	익힐 습	익숙할 관		

濕氣	습기	젖을 습	기운 기	(濕氣除去)	
濕度	습도	젖을 습	법도/도수 도		
昇降機	승강기	오를 승	내릴 강	틀/기계 기	
昇級	승급	오를 승	등급 급	(昇級試驗)	
勝負	승부	이길 승	질/패할 부	(正面勝負)	
乘勝長驅	승승장구	탈 승	이길 승	길 장	몰 구
勝者獨食	승자독식	이길 승	놈 자	홀로 독	밥/먹을 식
勝戰鼓	승전고	이길 승	싸움 전	북 고	
乘組員	승조원	탈 승	짤 조	인원 원	(한 배에서 뱃일을 하는 船員, 유의어 乘務員)
昇遐	승하	오를 승	멀 하	(임금의 昇遐를 슬퍼하다)	
昇華	승화	오를 승	빛날 화		
時價總額	시가총액	때 시	값 가	다 총	이마/액수 액
試金石	시금석	시험 시	쇠 금	돌 석	
猜忌	시기	시기할 시	꺼릴 기	(嫉妬)	
時期	시기	때 시	기약할/기간 기	(一定한 때: 과일이 무르익을 時期가 되었다)	
時機尙早	시기상조	때 시	틀/기회 기	오히려 상	이를 조
試鍊	시련	시험 시	불릴 련(연)		
始末書	시말서	비로서 시	끝 말	글 서	
始發點	시발점	비로서/처음 시	필/출발할 발	점 점	(유의어 契機, 起爆劑)
是非之心	시비지심	이/옳을 시	아닐 비	갈/어조사 지	마음 심
示唆	시사	보일 시	부추길 사	(折衷 可能性을 示唆하다)	

試寫會	시사회	시험 시	베낄 사	모일 회	(映畵試寫會)
施賞式	시상식	베풀 시	상줄 상	법/의식 식	
施設作物	시설작물	베풀 시	베풀 설	지을 작	물건 물
時時刻刻	시시각각	때 시	새길/시각 각		
是是非非	시시비비	이/옳을 시	아닐 비		
示威	시위	보일 시	위엄 위		
時宜適切	시의적절	때 시	마땅 의	맞을 적	끊을 절
是認	시인	이/옳을 시	알/인정할 인	(반의어 否認)	
是正	시정	이/바로잡을 시	바를 정	(잘못을 是正하다)	
市井雜輩	시정잡배	저자 시	우물 정	섞일 잡	무리 배
時限附	시한부	때 시	한할 한	붙을 부	(時限附罷業)
試行錯誤	시행착오	시험 시	다닐/행할 행	어긋날 착	그르칠 오
試驗	시험	시험 시	시험 험	(大學修學能力試驗)	
識字憂患	식자우환	알 식	글자 자	근심 우	근심 환
新規	신규	새 신	법 규	(新規上場)	
神奇	신기	귀신 신	기특할/기이할 기		
蜃氣樓	신기루	큰조개 신	기운 기	다락 루(누)	(蜃氣樓 現狀)
辛辣	신랄	매울 신	매울 랄	(辛辣한 批判)	
信賴	신뢰	믿을 신	의뢰할 뢰(뇌)	(信賴回復, 信賴區間)	
身命	신명	몸 신	목숨 명	(身命을 바치다)	
神妙	신묘	귀신 신	묘할 묘		
訊問	신문	물을 신	물을 문	(訊問調書)	

身柄	신병	몸 신	자루/잡을 병 (身柄을 確保하다)		
信憑性	신빙성	믿을 신	기댈 빙	성품/성질 성 (信憑性이 높다)	
信賞必罰	신상필벌	믿을/확실히 신	상줄 상	반드시 필	벌할 벌
身世	신세	몸 신	인간 세	(身世타령)	
迅速	신속	빠를 신	빠를 속	(迅速配達)	
申申付託	신신부탁	거듭 신	줄/부탁할 부	부탁할 탁	
身言書判	신언서판	몸 신	말씀 언	글 서	판단할 판
身元	신원	몸 신	으뜸/근본 원	(身元照會)	
腎臟	신장	콩팥 신	오장 장		
伸張	신장	펼 신	베풀/넓힐 장	(賣出伸張)	
申請	신청	거듭 신	청할 청		
身體髮膚 受之父母	신체발부 수지부모	몸 신, 몸 체	터럭 발, 살갗 부	받을 수, 갈/어조사 지	아비 부, 어미 모
伸縮性	신축성	펼 신	줄일 축	성품/성질 성	
神出鬼沒	신출귀몰	귀신 신	날 출	귀신 귀	빠질/숨을 몰
信託	신탁	믿을 신	부탁할 탁	(信託契約, 信託統治)	
身土不二	신토불이	몸 신	흙 토	아닐 불	두 이
實事求是	실사구시	열매 실	일 사	구할 구	이/옳을 시
實損保險	실손보험	열매 실	덜 손	지킬 보	험할 험
失神	실신	잃을 실	귀신/정신 신 (유의어 氣絶, 卒倒)		
失踪	실종	잃을 실	자취 종	(失踪申告)	
實踐	실천	열매/실행할 실	밟을 천		
深刻	심각	깊을 심	새길 각	(狀況이 深刻하다)	

心琴	심금	마음 심	거문고 금	(心琴을 울리다)
心機一轉	심기일전	마음 심	틀/계기 기	한 일 구를 전
審問調書	심문조서	살필 심	물을 문	고를 조 글 서
尋訪	심방	찾을 심	찾을 방	(유의어 訪問, 訊訪)
心腹	심복	마음/가슴 심	배 복	(유의어 마음속, 생각, 오른팔)
審査	심사	살필 심	조사할 사	(審査委員)
深思熟考	심사숙고	깊을 심	생각 사	익을/곰곰이 숙 생각할 고
心術	심술	마음 심	재주/마음씨 술	(心術을 떨다, 유의어 心통)
心心相印	심심상인	마음 심	서로 상	도장 인
深淵	심연	깊을 심	못 연	(絶望의 深淵에 빠지다)
深奧	심오	깊을 심	깊을 오	
心臟痲痺	심장마비	마음/심장 심	오장 장	저릴 마 저릴 비
甚至於	심지어	심할 심	이를 지	어조사 어 (甚至於 外泊..)
心醉	심취	마음 심	취할 취	(유의어 陶醉, 魅了, 魅惑)
十伐之木	십벌지목	열 십	칠 벌	갈/어조사 지 나무 목
十匙一飯	십시일반	열 십	숟가락 시	한 일 밥 반
十中八九	십중팔구	열 십	가운데 중	여덟 팔 아홉 구
雙璧	쌍벽	두 쌍	구슬 벽	
餓鬼	아귀	주릴 아	귀신 귀	(餓鬼의 싸움터)
雅淡	아담	맑을 아	맑을 담	
雅量	아량	맑을 아	헤아릴 량(양)	
阿附	아부	언덕/아첨 아	붙을 부	

阿鼻叫喚	아비규환	언덕 아	코 비	부르짖을 규	부를 환
牙城	아성	어금니 아	재/성 성	(牙城을 무너뜨리다)	
阿修羅場	아수라장	언덕 아	닦을 수	그물/벌일 라(나)	마당 장
啞然失色	아연실색	벙어리 아	그럴 연	잃을 실	빛 색
亞熱帶	아열대	버금 아	더울 열	띠 대	
我田引水	아전인수	나 아	밭 전	끌 인	물 수
阿諂	아첨	언덕/아첨할 아	아첨할 첨	(阿諂輩의 말만 믿고 일을 벌여)	
惡辣	악랄	악할 악	매울 랄(날)		
惡魔	악마	악할 악	마귀 마		
惡戰苦鬪	악전고투	악할 악	싸움 전	쓸/괴로울 고	싸울 투
惡臭	악취	악할 악	냄새 취		
安堵	안도	편안 안	편안히살 도	(安堵의 한숨을 내쉬다)	
按摩	안마	누를 안	문지를 마		
按舞	안무	누를/살필 안	춤출 무	(按舞를 짜다)	
安分知足	안분지족	편안 안	나눌/분수 분	알 지	발/넉넉할 족
安貧樂道	안빈낙도	편안 안	가난할 빈	즐길 락(낙)	길/도리 도
眼識	안식	눈 안	알 식	(眼目과 識見)	
安易	안이	편안 안	쉬울 이	(政府의 安易한 對處)	
安逸	안일	편안 안	편안할 일		
按酒	안주	누를/당길 안	술 주	(按酒床)	
眼下無人	안하무인	눈 안	아래 하	없을 무	사람 인
謁見	알현	뵐 알	볼 견/뵈올 현	(임금을 謁見하다)	

暗中摸索	암중모색	어두울 암	가운데 중	본뜰/찾을 모	찾을 색
暗礁	암초	어두울 암	암초 초	(暗礁에 부딪혀 坐礁되다)	
暗鬪劇	암투극	어두울 암	싸울 투	심할/연극 극	
暗號貨幣	암호화폐	어두울 암	이름 호	재물 화	화폐 폐
壓倒	압도	누를 압	넘어질/ 넘어뜨릴 도	(演奏가 聽衆을 壓倒했다)	
押留	압류	누를 압	머무를 류(유)		
壓迫	압박	누를 압	핍박할 박		
押收搜索	압수수색	누를 압	거둘 수	찾을 수	찾을 색
哀乞伏乞	애걸복걸	슬플 애	빌 걸	엎드릴 복	
愛嬌	애교	사랑 애	아리따울 교		
哀悼	애도	슬플 애	슬퍼할 도	(哀悼의 물결)	
隘路	애로	좁을 애	길 로(노)	(隘路事項)	
愛玩犬	애완견	사랑 애	희롱할 완	개 견	(愛玩犬 愛玩猫와 散策)
哀而不悲	애이불비	슬플 애	말이을 이	아닐 불	슬플 비
愛人恤民	애인휼민	사랑 애	사람 인	불쌍할/동정할 백성 민 휼	
哀切	애절	슬플 애	끊을 절		
哀歡	애환	슬플 애	기쁠 환	(유의어 喜悲)	
厄運	액운	액 액	옮길/운수 운		
液晶	액정	진 액	맑을 정	(液晶消毒)	
液體	액체	진 액	몸 체		
惹起	야기	이끌 야	일어날 기	(葛藤을 惹起하다)	
野壇法席	야단법석	들 야	단 단	법 법	자리 석

野蠻性	야만성	들/비천할 야	오랑캐 만	성품 성	
野薄	야박	들/등한할 야	엷을 박	(人情이 野薄하기 짝이 없다)	
夜半逃走	야반도주	밤 야	반/한창 반	도망할 도	달릴 주
野卑	야비	들/비천할 야	낮을 비		
揶揄	야유	야유할 야	야유할 유		
弱冠	약관	약할 약	갓 관	(20세, 15세 志學, 30세 而立)	
弱肉强食	약육강식	약할 약	고기 육	강할 강	밥/먹을 식
略取	약취	다스릴/약탈할 략(약)	취할 취	(略取誘引罪)	
掠奪	약탈	노략질할 략(약)	빼앗을 탈		
兩極化	양극화	두 량(양)	극진할 극	될 화	(所得兩極化)
羊頭狗肉	양두구육	양 양	머리 두	개 구	고기 육
洋襪	양말	큰바다/서양 양	버선 말		
讓步	양보	사양할 양	걸음 보		
樣相	양상	모양 양	서로/모양 상	(複雜한 樣相을 드러내다)	
梁上君子	양상군자	들보 량(양)	위 상	임금/군자 군	아들 자
樣式	양식	모양 양	법/형상 식	(建築樣式)	
良藥苦口	양약고구	어질 량(양)	약 약	쓸 고	입 구
量子力學	양자역학	헤아릴 량(양)	아들 자	힘 력(역)	배울 학
兩者擇一	양자택일	두 량(양)	놈 자	가릴 택	한 일
釀造場	양조장	술빚을 양	지을 조	마당 장	
魚頭肉尾	어두육미	물고기 어	머리 두	고기 육	꼬리 미
魚雷	어뢰	물고기 어	우레 뢰(뇌)	(魚形水雷의 준말)	

御命	어명	거느릴/임금 목숨/명령 명 어		
漁夫之利	어부지리	고기잡을 어	지아비/사내 부	갈/어조사 지	날카로울/ 이로울 리(이)
語不成說	어불성설	말씀 어	아닐 불	이룰 성	말씀 설
語塞	어색	말씀 어	막힐 색		
御眞	어진	거느릴/임금 어	참 진	(임금의 畵像이나 寫眞)	
於此彼	어차피	어조사 어	이 차	저 피	(於此於彼의 준말)
抑留	억류	누를 억	머무를 류(유) (人質을 抑留하다)		
抑壓	억압	누를 억	누를 압		
抑揚法	억양법	누를 억	날릴 양	법 법	(accentuation)
抑鬱	억울	누를 억	답답할 울		
抑制	억제	누를 억	절제할/억제할 제		
抑止	억지	누를 억	그칠 지	(核抑止力)	
臆測	억측	가슴 억	헤아릴 측		
焉敢生心	언감생심	어찌 언	감히 감	날/살 생	마음 심
諺文	언문	언문 언	글월 문	('한글'을 낮추어 이르던 말)	
言中有骨	언중유골	말씀 언	가운데 중	있을 유	뼈 골
掩蔽	엄폐	가릴 엄	덮을 폐	(vs 隱蔽)	
輿論	여론	수레/많을 여	논할 론(논)		
如履薄氷	여리박빙	같을 여	밟을 리(이)	엷을 박	얼음 빙
輿望	여망	수레/많을 여	바랄 망	(統一은 온 國民의 輿望이다)	
黎明	여명	검을 려(여)	밝을 명	(黎明이 밝아 오다)	

如反掌	여반장	같을 여	돌이킬 반	손바닥 장	(如反掌보다 더 쉽다)
與否	여부	더불 여	아닐 부		
閭閻	여염	마을 려(여)	마을 염	(閭閻집 아낙네)	
餘裕	여유	남을/넉넉할 여	넉넉할 유	(餘裕滿滿, 餘裕綽綽)	
旅行	여행	나그네 려(여)	다닐 행		
逆境	역경	거스릴 역	지경/경우 경		
轢過	역과	짓밟을 력(역)	지날 과	(轢過損傷이 廣範圍하다)	
逆鱗	역린	거스를 역	비늘 린	(讒訴가 逆鱗을 건드렸다)	
逆賊	역적	거스를 역	도둑/역적 적	(萬古逆賊)	
逆情	역정	거스를 역	뜻 정		
易地思之	역지사지	바꿀 역	땅 지	생각 사	갈/어조사 지
驛站	역참	역 역	역마을 참	(驛站制)	
疫學	역학	전염병 역	배울 학	(疫學調査)	
役割	역할	부릴 역	벨 할		
連繫	연계	잇닿을 련(연)	맬 계		
年功序列	연공서열	해 년(연)	공 공	차례 서	벌일 렬(열)
演劇俳優	연극배우	펼 연	심할/연극 극	배우 배	넉넉할/배우 우
演技	연기	펼 연	재주 기		
年年歲歲	연년세세	해 년(연)	해 세		
連帶	연대	잇닿을 련(연)	띠 대		
年代記	연대기	해 년(연)	대신할/시대 대	기록할 기	(유의어 編年史)
連絡杜絶	연락두절	잇닿을 련	이을 락(낙)	막을 두	끊을 절

			(연)	
年齡	연령	해 년(연)	나이 령(영)	
連累	연루	잇닿을 련(연)	묶을 루(누)	(連累者, 連累疑惑)
研磨	연마	갈 연	갈 마	
年末精算	연말정산	해 년(연)	끝 말	정할 정 셈 산
延面積	연면적	끌/늘일 연	낯 면	쌓을 적
緣木求魚	연목구어	인연 연	나무 목	구할 구 물고기 어
聯邦	연방	연이을 련(연)	나라 방	(英聯邦)
聯想	연상	연이을 련(연)	생각 상	(白雪公主가 聯想되는 새하얀 皮膚)
燃燒	연소	불탈 연	불사를 소	(有酸素運動으로 體內脂肪을 燃燒시키다)
連鎖	연쇄	잇닿을 련(연)	쇠사슬 쇄	(連鎖不渡)
軟弱	연약	연할 연	약할 약	(유의어 懦弱, 반의어 强靭)
演繹	연역	펼 연	풀 역	(반의어 歸納)
煉獄	연옥	달굴 련(연)	옥 옥	(煉獄에 떨어지다)
演奏	연주	펼 연	아뢸 주	
連判狀	연판장	잇닿을 련(연)	판단할 판	형상 상/문서 장 (連判狀을 돌리다)
烈女	열녀	매울/불사를 렬(열)	여자 녀(여)	(烈女碑)
熱烈	열렬	더울 열	매울/세찰 렬	
涅槃	열반	개흙/열반 열	쟁반 반	(유의어 入寂)
劣勢	열세	못할 렬(열)	형세 세	(반의어 優勢)
劣惡	열악	못할 렬(열)	악할 악	(劣惡한 環境)

廉價	염가	청렴할 렴(염)	값 가	(廉價奉仕)		
炎凉世態	염량세태	불꽃 염	서늘할 량(양)	인간 세	모습 태	
念慮	염려	생각 념(염)	생각할 려(여)			
艶聞	염문	고울 염	들을 문	(男女의 戀愛에 關한 所聞)		
念佛	염불	생각 념(염)	부처 불			
厭世主義	염세주의	싫어할 염	인간 세	임금/주인 주	옳을 의	
鹽田	염전	소금 염	밭 전			
廉恥	염치	청렴할 렴(염)	부끄러울 치			
拈華微笑	염화미소	집을 염	꽃 화	작을 미	웃음 소	
拈華示衆	염화시중	집을 염	꽃 화	보일 시	무리 중	
獵奇	엽기	사냥 렵(엽)	기특할/기이할 기			
獵師	엽사	사냥 렵(엽)	스승 사	(사냥꾼을 높이어 이르는 말)		
令監	영감	하여금 령(영)	볼 감	(男子老人의 높임말)		
永訣	영결	길 영	이별할 결	(永訣式)		
榮枯盛衰	영고성쇠	영화 영	마를/시들 고	성할 성	쇠할 쇠	
榮枯一炊	영고일취	영화 영	마를/시들 고	한 일	불땔 취	
榮光	영광	영화 영	빛 광	(유의어 光榮)		
玲瓏	영롱	옥소리 령(영)	옥소리 롱(농)	(五色玲瓏)		
怜悧	영리	영리할 령(영)	영리할 리(이)	(눈치가 빨라 敏捷하고 똑똑하다)		
營繕業務	영선업무	경영할/지을 영	기울/고칠 선	업/일 업	힘쓸 무	
零細業者	영세업자	떨어질/영 령(영)	가늘 세	업 업	놈 자	

領袖	영수	옷깃 령(영)	소매 수	(領袖會談)	
領收證	영수증	옷깃/받을 령(영)	거둘 수	증거 증	(유의어 受領證)
靈惡	영악	신령 령(영)	악할 악	(어린애가 하는 짓이 靈惡스럽다)	
令愛	영애	하여금 령(영)	사랑 애	(= 令孃, 남의 딸의 높임말)	
榮譽	영예	영화 영	기릴 예	(榮譽의 大賞)	
嬰乳兒	영유아	어린아이 영	젖 유	아이 아	(嬰乳兒用品)
令狀	영장	하여금 령(영)	문서 장	(逮捕令狀이 發付되다)	
靈長類	영장류	신령 령(영)	길 장	무리 류(유)	(원숭이, 類人猿, 사람)
榮轉	영전	영화 영	구를 전	(社長으로 榮轉하다)	
影幀	영정	그림자/초상 영	그림족자 정	(影幀寫眞)	
影響	영향	그림자 영	울릴 향		
靈魂	영혼	신령 령(영)	넋 혼		
預金	예금	맡길 예	쇠 금	(定期預金)	
銳利	예리	날카로울 예	날카로울 리(이)	(반의어 鈍濁)	
銳敏	예민	날카로울 예	민첩할 민	(반의어 無感覺)	
豫想	예상	미리 예	생각 상		
禮俗相交	예속상교	예도 례(예)	풍속 속	서로 상	사귈 교
銳意注視	예의주시	날카로울 예	뜻 의	부을 주	볼 시
刈草機	예초기	벨 예	풀 초	틀 기	
預託	예탁	맡길 예	부탁할 탁		
五穀百果	오곡백과	다섯 오	곡식 곡	일백 백	실과 과

五里霧中	오리무중	다섯 오	마을/거리 리(이)	안개 무	가운데 중
傲慢	오만	거만할 오	거만할 만	(傲慢不遜)	
寤寐不忘	오매불망	잠깰 오	잘 매	아닐 불	잊을 망
奧密稠密	오밀조밀	깊을 오	빽빽할 밀	빽빽할 조	
吾鼻三尺	오비삼척	나 오	코 비	석 삼	자 척
烏飛梨落	오비이락	까마귀 오	날 비	배나무 리(이)	떨어질 락(낙)
傲霜孤節	오상고절	거만할 오	서리 상	외로울 고	마디 절
嗚咽	오열	슬플 오	목구멍 인/목멜 열		
汚染源	오염원	더러울 오	물들 염	근원 원	
吳越同舟	오월동주	성씨/오나라 오	넘을/월나라 월	한가지/같을 동	배 주
誤入	오입	그르칠 오	들 입	(유의어 外道)	
烏鵲橋	오작교	까마귀 오	까치 작	다리 교	(七月 七夕, 牽牛織女)
惡寒	오한	악할 악/어찌 오	찰 한	(惡寒戰慄)	
烏合之卒	오합지졸	까마귀 오	합할 합	갈/어조사 지	마칠/병졸 졸
玉石俱焚	옥석구분	구슬 옥	돌 석	함께 구	불사를 분
沃土	옥토	기름질 옥	흙 토		
玉皇上帝	옥황상제	구슬 옥	임금 황	위 상	임금 제
溫故知新	온고지신	따뜻할 온	연고/옛 고	알 지	새 신
甕器	옹기	독 옹	그릇 기		
擁立	옹립	낄/안을 옹	설 립(입)	(새 王을 擁立하다)	
擁壁	옹벽	낄/안을 옹	벽 벽		
壅塞	옹색	막을 옹	막힐 색	(壅塞한 辨明)	

擁護	옹호	낄/안을 옹	도울 호	
臥薪嘗膽	와신상담	누울 와	섶 신	맛볼 상	쓸개 담
訛傳	와전	그릇될 와	전할 전	(事實이 訛傳되다)
渦中	와중	소용돌이 와	가운데 중	(戰亂의 渦中에 家族을 잃다)
緩降機	완강기	느릴 완	내릴 강	틀 기	(非常用 器具)
頑固	완고	완고할 완	굳을 고	
緩慢	완만	느릴 완	거만할/느릴 만	
緩衝	완충	느릴/부드러울 완	찌를 충	(緩衝作用)
曰可曰否	왈가왈부	가로 왈	옳을/가히 가	아닐 부
旺盛	왕성	왕성할 왕	성할 성	(血氣旺盛)
王侯將相	왕후장상	임금 왕	제후 후	장수 장	서로/정승 상
歪曲	왜곡	기울 왜	굽을 곡	
倭亂	왜란	왜나라 왜	어지러울 란(난)	(vs 胡亂)
畏敬	외경	두려워할 외	공경 경	
外廓	외곽	바깥 외	둘레 곽	(外廓循環高速道路)
外上	외상	바깥 외	위 상	(外上賣出)
猥藝	외설	외람할 외	더러울 설	(猥藝是非, 猥藝文學)
外延	외연	바깥 외	늘일 연	(外延을 擴大하다)
外柔內剛	외유내강	바깥 외	부드러울 유	안 내	굳셀 강
外套	외투	바깥 외	씌울 투	(coat, overcoat)
邀擊	요격	맞을 요	칠 격	
搖籃	요람	흔들 요	대바구니 람(남)	

要領	요령	요긴할 요	옷깃/거느릴 령(영)	(要領을 攄得하다)
妖妄	요망	요사할 요	망령될 망	(妖妄한 말로 謀陷하다)
樂山樂水	요산요수	노래 악/좋아할 요	메 산	물 수
要塞	요새	요긴할 요	변방/성채 새	
尿素	요소	오줌 뇨(요)	본디/성질 소	(車輛用 尿素水)
尿失禁	요실금	오줌 뇨(요)	잃을 실	금할 금	(老人尿失禁)
妖艶	요염	요사할 요	고울 염	(유의어 濃艶)
妖精	요정	요사할 요	정할/정령 정	(fairy)
窈窕淑女	요조숙녀	고요할 요	으늑할 조	맑을 숙	여자 녀(여)
搖之不動	요지부동	흔들 요	갈/어조사 지	아닐 부	움직일 동
凹凸注意	요철주의	오목할 요	볼록할 철	부을 주	뜻/생각 의
要衝地	요충지	요긴할 요	찌를/부딪칠 충	땅 지	(軍事的 要衝地)
僥倖	요행	요행 요	요행 행	
欲速不達	욕속부달	하고자할 욕	빠를 속	아닐 부	통달할/이를 달
褥瘡潰瘍	욕창궤양	요 욕	부스럼 창	무너질 궤	헐/종기 양
龍頭蛇尾	용두사미	용 룡(용)	머리 두	뱀 사	꼬리 미
庸劣	용렬	떳떳할/어리석을 용	못할 렬(열)	
勇猛精進	용맹정진	날랠 용	사나울 맹	정할 정	나아갈 진
傭兵	용병	품팔 용	병사 병	
用不用說	용불용설	쓸 용	아닐 불	말씀 설
容恕	용서	얼굴/용납할 용	용서할 서	
容疑者	용의자	얼굴/속내 용	의심할 의	놈 자	(vs 被疑者)

用意周到	용의주도	쓸 용	뜻 의	두루 주	이를 도
容認	용인	얼굴/용납할 용	알/인정할 인	(유의어 容納, 認容)	
容積率	용적률	얼굴/용납할 용	쌓을 적	거느릴 솔/비율 률(율)	(容積率 緩和)
鎔接	용접	쇠녹일 용	이을 접	(鎔接工)	
龍虎相搏	용호상박	용 룡(용)	범 호	서로 상	두드릴/칠 박
牛角掛書	우각괘서	소 우	뿔 각	걸 괘	글 서
愚公移山	우공이산	어리석을 우	공평할/존칭 공	옮길 이	메 산
憂國之士	우국지사	근심 우	나라 국	갈/어조사 지	선비/사내 사
憂國忠節	우국충절	근심 우	나라 국	충성 충	마디/절개 절
憂國衷情	우국충정	근심 우	나라 국	속마음 충	뜻 정
牛刀割鷄	우도할계	소 우	칼 도	벨 할	닭 계
憂慮	우려	근심 우	생각할 려(여)	(憂慮와 遺憾 表明)	
愚昧	우매	어리석을 우	어리석을 매		
愚問賢答	우문현답	어리석을 우	물을 문	어질/현명할 현	대답 답
友邦	우방	벗 우	나라 방	(大統領의 友邦國 巡訪)	
虞犯地帶	우범지대	염려할 우	범할 범	땅 지	띠 대
牛步千里	우보천리	소 우	걸음 보	일천 천	마을/거리 리(이)
雨傘	우산	비 우	우산 산	(核雨傘)	
偶像	우상	짝/인형 우	모양 상	(偶像崇拜)	
迂餘曲折	우여곡절	멀 우	남을 여	굽을 곡	꺾을 절
偶然	우연	짝/우연 우	그럴 연	(必然의 반의어)	

優劣	우열	넉넉할/ 뛰어날 우	못할 렬(열)		
右往左往	우왕좌왕	오른 우	갈 왕	왼 좌	
牛乳	우유	소 우	젖 유		
優柔不斷	우유부단	넉넉할 우	부드러울 유	아닐 부	끊을 단
牛耳讀經	우이독경	소 우	귀 이	읽을 독	경서 경
宇宙航空	우주항공	집/하늘 우	집/하늘 주	배 항	빌 공
郵遞局	우체국	우편 우	갈릴 체	판/관청 국	
迂廻	우회	에돌/멀 우	돌 회		
雨後竹筍	우후죽순	비 우	뒤 후	대 죽	죽순 순
旭日昇天	욱일승천	아침해 욱	날/해 일	오를 승	하늘 천
運柩	운구	옮길 운	널 구	(運柩 行列이 길게 이어지다)	
運搬	운반	옮길 운	옮길 반		
運數所關	운수소관	옮길/운 운	셈 수	바 소	관계할 관
運七技三	운칠기삼	옮길/운 운	일곱 칠	재주 기	석 삼
鬱憤	울분	답답할 울	분할 분		
鬱蒼	울창	답답할 울	푸를 창		
雄辯	웅변	수컷 웅	말씀 변	(雄辯術, 雄辯家)	
遠隔	원격	멀 원	사이뜰 격	(遠隔診療, 遠隔授業)	
元老	원로	으뜸 원	늙을 로(노)		
圓滿	원만	둥글 원	찰 만	(圓滿한 性格)	
怨望	원망	원망할 원	바랄 망		
元素	원소	으뜸 원	흴 소		

圓熟美	원숙미	둥글 원	익을 숙	아름다울 미	(넘치는 圓熟美)
鴛鴦衾枕	원앙금침	원앙 원	원앙 앙	이불 금	베개 침
原子爐	원자로	언덕/근원 원	아들 자	화로 로(노)	
元帳	원장	으뜸/근본 원	휘장/장부 장	(元帳과 對照하다)	
元祖	원조	으뜸 원	할아버지 조		
源泉封鎖	원천봉쇄	근원 원	샘 천	봉할 봉	쇠사슬 쇄
遠禍召福	원화소복	멀 원	재앙 화	부를 소	복 복
圓滑	원활	둥글 원	미끄러울 활		
元兇	원흉	으뜸 원	흉악할 흉	(유의어 魁首, 首魁)	
月桂冠	월계관	달 월	계수나무 계	갓 관	(月桂樹)
越冬準備	월동준비	넘을 월	겨울 동	준할 준	갖출 비
月蝕	월식	달 월	좀먹을 식		
位階秩序	위계질서	자리 위	섬돌 계	차례 질	차례 서
危篤	위독	위태할 위	도타울/위독할 독	(유의어 危重)	
慰勞	위로	위로할 위	일할/위로할 로(노)		
圍籬安置	위리안치	에워쌀 위	울타리 리(이)	편안 안	둘 치
違反	위반	어긋날/어길 위	돌이킬 반		
位相	위상	자리 위	서로/모양 상		
衛生觀念	위생관념	지킬 위	날/살 생	볼 관	생각 념(염)
僞善者	위선자	거짓 위	착할 선	놈 자	
慰安	위안	위로할 위	편안 안	(從軍慰安婦)	
違約金	위약금	어긋날 위	맺을 약	쇠 금	(解約하면 違約金을

爲人設官	위인설관	할/위할 위	사람 인	베풀 설	벼슬 관
慰藉料	위자료	위로할 위	깔 자	헤아릴/값 료(요)	
僞裝	위장	거짓 위	꾸밀 장		
僞證敎唆	위증교사	거짓 위	증거 증	가르칠 교	부추길 사
萎縮	위축	시들 위	줄일 축	(반의어 潑剌)	
委託	위탁	맡길 위	부탁할 탁		
韋編三絶	위편삼절	가죽 위	엮을 편	석 삼	끊을 절
威風堂堂	위풍당당	위엄 위	바람/풍채 풍	집/당당할 당	
危險千萬	위험천만	위태할 위	험할 험	일천 천	일만 만
威脅	위협	위엄 위	위협할 협		
違和感	위화감	어긋날 위	화할 화	느낄 감	
遺憾千萬	유감천만	남길 유	섭섭할 감	일천 천	일만 만
游客	유객	헤엄칠/여행할 유	손 객	(유커 vs 싼커(散客, 중국인 개별 관광객))	
遊擊手	유격수	놀 유	칠 격	손/사람 수	
遊廓	유곽	놀 유	둘레 곽		
誘拐	유괴	꾈 유	후릴 괴		
悠久	유구	멀 유	오랠 구	(悠久한 歷史)	
有口無言	유구무언	있을 유	입 구	없을 무	말씀 언
紐帶	유대	맺을 뉴(유)	띠 대	(끈끈한 紐帶感)	
誘導	유도	꾈 유	인도할 도		
遊覽	유람	놀 유	볼 람(남)	(八道遊覽)	

流浪劇團	유랑극단	흐를 류(유)	물결 랑(낭)	심할/연극 극	둥글/단체 단
由來	유래	말미암을 유	올 래(내)	(由來談)	
流離乞食	유리걸식	흐를 류(유)	떠날 리(이)	빌 걸	밥/먹을 식
蹂躪	유린	밟을 유	짓밟을 린(인)	(= 蹂躒/蹂躪, 人權蹂躪)	
類萬不同	유만부동	무리 류(유)	일만 만	아닐 부	한가지/같을 동
有名無實	유명무실	있을 유	이름 명	없을 무	열매 실
乳母車	유모차	젖 유	어미 모	수레 차	
遊牧民	유목민	놀 유	칠 목	백성 민	(遊牧人種)
流芳百世	유방백세	흐를 류(유)	꽃다울 방	일백 백	인간 세
流配	유배	흐를 류(유)	짝/귀양보낼 배		
裕福	유복	넉넉할 유	복 복	(裕福한 어린 時節을 보내다)	
遺腹子	유복자	남길 유	배 복	아들 자	(遺腹子로 태어나 아버지 얼굴도 모른다)
有備無患	유비무환	있을 유	갖출/준비할 비	없을 무	근심 환
遊說	유세	놀/유세할 유	말씀 설/ 달랠 세	(選擧遊說)	
流水不腐	유수불부	흐를 류(유)	물 수	아닐 불	썩을 부
唯我獨尊	유아독존	오직 유	나 아	홀로 독	높을 존
有耶無耶	유야무야	있을 유	어조사 야	없을 무	
流言蜚語	유언비어	흐를 류(유)	말씀 언	바퀴/날 비	말씀 어
柔軟	유연	부드러울 유	연할 연		
游泳	유영	헤엄칠 유	헤엄칠 영	(유의어 水泳, 헤엄)	
猶豫	유예	오히려/ 망설일 유	미리/ 머뭇거릴 예	(執行猶豫)	

類類相從	유유상종	무리 류(유)	서로 상	좇을 종	
悠悠自適	유유자적	멀/한가할 유	스스로 자	맞을 적	
油印物	유인물	기름 유	도장/찍을 인	물건 물	(油印物을 나눠주다, 유의어 印刷物)
唯一無二	유일무이	오직 유	한 일	없을 무	둘 이
悠長美	유장미	멀/한가할 유	길 장	아름다울 미	
遺蹟	유적	남길 유	자취 적		
油槽船	유조선	기름 유	구유 조	배 선	
維持	유지	벼리/지탱할 유	가질 지		
流暢	유창	흐를 류(유)	화창할 창	(英語가 流暢하다)	
類推解釋	유추해석	무리 류(유)	밀 추	풀 해	풀 석
幼稚	유치	어릴 유	어릴 치		
誘致	유치	꾈 유	이를 치	(行事誘致)	
幽閉	유폐	깊을 유	닫을 폐		
流布	유포	흐를 류(유)	베/펼 포	(虛僞事實 流布)	
遺骸	유해	남길 유	뼈 해	(遺骸發掘, 遺骸奉還)	
誘惑	유혹	꾈 유	미혹할 혹		
遊興業所	유흥업소	놀 유	일 흥	업 업	바/곳 소
肉薄	육박	고기 육	엷을 박	(肉薄戰)	
肉斬骨斷	육참골단	고기 육	벨 참	뼈 골	끊을 단
輪廓	윤곽	바퀴 륜(윤)	둘레 곽	(事件의 輪廓)	
潤氣	윤기	불을 윤	기운 기	(潤氣가 흐르는 머리)	

閏年	윤년	윤달 윤	해 년(연)	
輪作	윤작	바퀴 륜(윤)	지을 작	(單一耕作보다 輪作이 좋다)
潤澤	윤택	불을/윤택할 윤	못 택	
潤滑	윤활	불을 윤	미끄러울 활	
輪廻	윤회	바퀴 륜(윤)	돌 회	(佛敎의 輪廻思想)
絨緞	융단	가는베/융 융	비단 단	(絨緞爆擊)
隆盛	융성	높을 륭(융)	성할 성	(家門이 크게 隆盛하다)
隆崇	융숭	높을 륭(융)	높을 숭	(隆崇한 待接)
融合	융합	녹을 융	합할 합	(서울대 尖端融合學部 新設)
融和	융화	녹을 융	화할 화	
隱匿	은닉	숨길 은	숨길 닉(익)	(犯人隱匿)
隱遁	은둔	숨을 은	달아날/숨을 둔	(隱遁居士)
隱喩	은유	숨을 은	깨우칠 유	(metaphor)
隱忍自重	은인자중	숨을 은	참을 인	스스로 자 무거울 중
陰莖	음경	그늘 음	줄기 경	(男根, penis)
淫談悖說	음담패설	음란할 음	말씀 담	거스를 패 말씀 설
陰德陽報	음덕양보	그늘 음	클/덕 덕	볕 양 갚을 보
吟味	음미	읊을 음	맛 미	
飮水思源	음수사원	마실 음	물 수	생각 사 근원 원
音韻	음운	소리 음	운 운	
吟遊詩人	음유시인	읊을 음	놀 유	시 시 사람 인
音程	음정	소리 음	한도 정	(音程과 拍子)

音癡	음치	소리 음	어리석을 치		
吟風弄月	음풍농월	읊을 음	바람 풍	희롱할 롱 (농)	달 월
泣斬馬謖	읍참마속	울 읍	벨 참	말 마	일어날 속
凝固	응고	엉길 응	굳을 고		
應分	응분	응할 응	나눌 분	(應分의 代價를 치르다)	
膺懲	응징	가슴 응	징계할 징	(유의어 征服, 懲戒)	
疑懼心	의구심	의심할 의	두려워할 구	마음 심	(疑懼心이 들다)
儀軌	의궤	거동 의	바퀴자국 궤	(朝鮮王室儀軌)	
意氣銷沈	의기소침	뜻 의	기운 기	녹일/쇠할 소	잠길 침
意氣揚揚	의기양양	뜻 의	기운 기	날릴 양	
意氣投合	의기투합	뜻 의	기운 기	던질 투	합할 합
意圖	의도	뜻 의	그림/꾀할 도	(意圖를 看破하다)	
義理	의리	옳을 의	다스릴/도리 리(이)	(유의어 信義)	
意思疏通	의사소통	뜻 의	생각 사	소통할 소	통할 통
疑訝	의아	의심할 의	맞이할/ 의심할 아	(무척 疑訝스럽다)	
毅然	의연	굳셀 의	그럴 연	(山처럼 毅然하고 江처럼 柔하다)	
義捐金	의연금	옳을 의	버릴 연	쇠 금	(水害義捐金)
義足	의족	옳을/가짜 의	발 족	(傷痍勇士가 義足을 끼고 걸었다)	
意表	의표	뜻/생각 의	겉 표	(예상 밖이나 생각 밖)	
義俠心	의협심	옳을 의	의기로울 협	마음 심	
疑惑	의혹	의심할 의	미혹할 혹		
異口同聲	이구동성	다를 이	입 구	한가지 동	소리 성

以舊換新	이구환신	써 이	예 구	바꿀 환	새 신
裏面	이면	속 리(이)	낯 면		
二毛作	이모작	두 이	터럭/식물 모	지을 작	
耳目口鼻	이목구비	귀 이	눈 목	입 구	코 비
耳鼻咽喉	이비인후	귀 이	코 비	목구멍 인	목구멍 후
以實直告	이실직고	써 이	열매/사실 실	곧을 직	고할 고
以心傳心	이심전심	써 이	마음 심	전할 전	
以熱治熱	이열치열	써 이	더울 열	다스릴 치	
弛緩	이완	늦출 이	느릴 완	(緊張과 弛緩)	
已往之事	이왕지사	이미 이	갈 왕	갈/어조사 지	일 사
利潤	이윤	날카로울/이 로울 리(이)	불을 윤		
二律背反	이율배반	두 이	법칙 률(율)	등 배	돌이킬 반
移葬	이장	옮길 이	장사지낼 장		
罹災民	이재민	걸릴 리(이)	재앙 재	백성 민	(罹災民收容所)
泥田鬪狗	이전투구	진흙 니(이)	밭 전	싸울 투	개 구
二次電池	이차전지	두 이	버금 차	번개 전	못 지
移牒	이첩	옮길 이	편지/공문서 첩	(事件 移牒基準)	
理判事判	이판사판	다스릴/ 도리 리(이)	판단할 판	일 사	
離合集散	이합집산	떠날 리(이)	합할 합	모을 집	흩을 산
履行	이행	밟을 리(이)	다닐/행할 행	(債務를 履行하다)	
耳懸鈴 鼻懸鈴	이현령 비현령	귀 이	달 현	방울 령(영)	코 비
匿名性	익명성	숨길 닉(익)	이름 명	성품/성질 성	

翌日	익일	다음날 익	날 일		
因果應報	인과응보	인할 인	실과/결과 과	응할 응	알릴/갚을 보
引導	인도	끌 인	인도할 도	(이끌어 가르침)	
引渡	인도	끌 인	건널 도	(權利引渡)	
人類共榮	인류공영	사람 인	무리 류(유)	함께 공	영화 영
人面獸心	인면수심	사람 인	낯 면	짐승 수	마음 심
湮滅	인멸	묻힐 인	꺼질 멸	(證據湮滅 憂慮)	
人命在天	인명재천	사람 인	목숨 명	있을 재	하늘 천
人山人海	인산인해	사람 인	메 산	바다 해	
吝嗇	인색	아낄 린(인)	아낄 색		
人生無常	인생무상	사람 인	날/살 생	없을 무	항상 상
人生流轉	인생유전	사람 인	날/살 생	흐를 류(유)	구를 전
引揚	인양	끌 인	날릴/올릴 양	(船體引揚)	
仁義禮智	인의예지	어질 인	옳을 의	예도 례(예)	슬기 지
仁者無敵	인자무적	어질 인	놈 자	없을 무	대적할/원수 적
認知發達	인지발달	알 인	알 지	필 발	통달할 달
人之常情	인지상정	사람 인	갈/어조사 지	항상 상	뜻 정
人質	인질	사람 인	바탕/저당물 질		
引責	인책	끌 인	꾸짖을 책	(關聯者의 引責을 要求하다)	
人品	인품	사람 인	물건/품격 품		
咽喉	인후	목구멍 인	목구멍 후	(咽喉炎)	
一喝	일갈	한 일	꾸짖을 갈	(霹靂같은 一喝에 주춤하다)	

一擧兩得	일거양득	한 일	들 거	두 량(양)	얻을 득
日久月深	일구월심	날 일	오랠 구	달 월	깊을 심
一刀兩斷	일도양단	한 일	칼 도	두 량(양)	끊을 단
一路邁進	일로매진	한 일	길 로(노)	멀리갈/힘쓸 매	나아갈 진
一網打盡	일망타진	한 일	그물 망	칠 타	다할 진
一脈相通	일맥상통	한 일	맥/줄기 맥	서로 상	통할 통
日暮途遠	일모도원	날 일	저물 모	길 도	멀 원
一目瞭然	일목요연	한 일	눈 목	밝을 료(요)	그럴 연
日沒	일몰	날/해 일	빠질 몰	(반의어 日出)	
一罰百戒	일벌백계	한 일	벌할 벌	일백 백	경계할 계
一夫從事	일부종사	한 일	지아비 부	좇을 종	일/섬길 사
一絲不亂	일사불란	한 일	실 사	아닐 불	어지러울 란(난)
一瀉千里	일사천리	한 일	쏟을 사	일천 천	마을/거리 리(이)
一石二鳥	일석이조	한 일	돌 석	두 이	새 조
一笑一少 一怒一老	일소일소 일노일로	한 일, 웃을 소	적을/젊을 소	성낼 노	늙을 로(노)
一身上	일신상	한 일	몸 신	위 상	(一身上의 理由로 辭退)
一魚濁水	일어탁수	한 일	물고기 어	흐릴 탁	물 수
一葉知秋	일엽지추	한 일	잎 엽	알 지	가을 추
一葉片舟	일엽편주	한 일	잎 엽	조각 편	배 주
一日三省	일일삼성	한 일	날 일	석 삼	살필 성
一長一短	일장일단	한 일	길 장	짧을 단	
一場春夢	일장춘몽	한 일	마당 장	봄 춘	꿈 몽

一周	일주	한 일	두루 주	(= 一巡)	
一觸卽發	일촉즉발	한 일	닿을 촉	곧 즉	필/쏠 발
一蹴	일축	한 일	찰 축	(可能性을 一蹴하다)	
日就月將	일취월장	날 일	나아갈 취	달 월	장수/나아갈 장
一敗塗地	일패도지	한 일	패할 패	칠할 도	땅 지
一片丹心	일편단심	한 일	조각 편	붉을 단	마음 심
一筆揮之	일필휘지	한 일	붓 필	휘두를 휘	갈/쓸 지
一攫千金	일확천금	한 일	움킬 확	일천 천	쇠 금
一環	일환	한 일	고리 환	(一環策)	
一喜一悲	일희일비	한 일	기쁠 희	슬플 비	
臨渴掘井	임갈굴정	임할 임	목마를 갈	팔 굴	우물 정
賃金	임금	품삯 임	쇠 금	(賃金引上)	
臨機應變	임기응변	임할 임	틀/계기 기	응할 응	변할 변
臨床實驗	임상실험	임할 임	평상 상	열매 실	시험 험
臨時變通	임시변통	임할 임	때 시	변할 변	통할 통
妊娠	임신	임신할 임	아이밸 신		
臨戰無退	임전무퇴	임할 임	싸움 전	없을 무	물러날 퇴
任重道遠	임중도원	맡길/책무 임	무거울 중	길 도	멀 원
淋疾	임질	물뿌릴 림(임)	병 질	(性病의 한 가지)	
賃借	임차	품삯/세낼 임	빌릴 차	(賃貸의 반의어)	
立身揚名	입신양명	설 립(입)	몸 신	날릴 양	이름 명
立身行道 揚名後世	입신행도 양명후세	설 립(입), 몸 신	다닐/행할 행, 길/도리 도	날릴 양, 이름 명	뒤 후, 인간 세

粒子	입자	낟알 립(입)	아들 자		
立錐之地	입추지지	설 립(입)	송곳 추	갈/어조사 지	땅 지
立春大吉	입춘대길	설 립(입)	봄 춘	큰 대	길할 길
孕胎	잉태	아이밸 잉	아이밸 태		
自家撞着	자가당착	스스로 자	집 가	칠 당	붙을 착
自強不息	자강불식	스스로 자	강할 강	아닐 불	쉴 식
自激之心	자격지심	스스로 자	격할 격	갈/어조사 지	마음 심
自愧之心	자괴지심	스스로 자	부끄러울 괴	갈/어조사 지	마음 심
自給自足	자급자족	스스로 자	줄 급	발/넉넉할 족	
自矜心	자긍심	스스로 자	자랑할 긍	마음 심	
磁力	자력	자석 자	힘 력(역)		
自慢	자만	스스로 자	거만할 만		
姉妹	자매	윗누이 자	손아래누이 매		
諮問	자문	물을 자	물을 문	(專門家의 諮問을 求하다)	
自問自答	자문자답	스스로 자	물을 문	대답 답	
自白	자백	스스로 자	흰/아뢸 백	(犯行을 自白하다)	
自負心	자부심	스스로 자	질 부	마음 심	
慈悲	자비	사랑 자	슬플 비		
仔細	자세	자세할 자	가늘 세		
姿勢	자세	모양 자	형세 세	(姿勢矯正)	
自首	자수	스스로 자	머리/자수할 수	(自首를 勸하다)	
自手成家	자수성가	스스로 자	손 수	이룰 성	집 가

自繩自縛	자승자박	스스로 자	노끈 승	얽을 박	
子息	자식	아들 자	쉴/자식 식		
自我陶醉	자아도취	스스로 자	나 아	질그릇/화락할 취할 취 도	
自業自得	자업자득	스스로 자	업 업	얻을 득	
自然淘汰	자연도태	스스로 자	그럴 연	쌀일 도	일 태
自由奔放	자유분방	스스로 자	말미암을 유	달릴 분	놓을 방
自由自在	자유자재	스스로 자	말미암을 유	있을 재	
恣意的	자의적	방자할/제멋 대로 자	뜻 의	과녁/어조사 적	(제멋대로 하는 것)
子正	자정	아들/첫째 지지 자	바를/가운데 정	(유의어 零時, 반의어 正午)	
自走砲	자주포	스스로 자	달릴 주	대포 포	
自中之亂	자중지란	스스로 자	가운데 중	갈/어조사 지	어지러울 란(난)
自充手	자충수	스스로 자	채울 충	손 수	
自炊	자취	스스로 자	불땔 취	(vs 下宿)	
自暴自棄	자포자기	스스로 자	사나울/해칠 포	버릴 기	
自畵自讚	자화자찬	스스로 자	그림 화	기릴 찬	
作故	작고	지을 작	연고/ 죽은사람 고	(유의어 別世, 逝去)	
炸裂	작렬	터질 작	찢을 렬(열)	(3競技 連續골을 炸裂)	
酌婦	작부	술부을 작	며느리/여자 부		
作心三日	작심삼일	지을 작	마음 심	석 삼	날 일
灼熱	작열	사를 작	더울 열	(灼熱하는 太陽)	
殘忍	잔인	잔인할 잔	참을/잔인할 인		

殘骸	잔해	잔인할/남을 뼈 해 잔		
殘酷	잔혹	잔인할 잔	심할 혹	(殘忍하고 苛酷함)
潛水	잠수	잠길 잠	물 수	
暫時	잠시	잠깐 잠	때 시	
箴言	잠언	경계 잠	말씀 언	
潛入搜査	잠입수사	잠길 잠	들 입	찾을 수 조사할 사
潛在	잠재	잠길 잠	있을 재	(潛在能力, 潛在失業)
潛跡	잠적	잠길 잠	발자취 적	
暫定	잠정	잠깐 잠	정할 정	
裝甲車	장갑차	꾸밀 장	갑옷 갑	수레 차
臟器寄贈	장기기증	오장 장	그릇/기관 기 부칠 기 줄 증	
壯談	장담	장할/굳셀 장	말씀 담	(豪言壯談)
壯途	장도	장할 장	길 도	(壯途에 오르다)
將來	장래	장수/장차 장	올 래(내)	(將來設計, 將來希望)
奬勵	장려	장려할 장	힘쓸 려(여)	
葬禮	장례	장사지낼 장	예도 례(예)	
欌籠	장롱	장롱 장	대바구니 롱(농)	(欌籠免許)
帳幕	장막	장막 장	장막 막	
贓物	장물	장물 장	물건 물	(贓物아비)
薔薇	장미	장미 장	장미 미	
障壁	장벽	막을 장	벽 벽	
帳簿	장부	휘장 장	장부 부	(會計帳簿)

張三李四	장삼이사	베풀/성씨 장	석 삼	오얏/성씨 리(이)	넉 사
將帥	장수	장수 장	장수 수	(軍士를 거느리는 우두머리)	
長安	장안	길 장	편안 안	(首都라는 뜻으로 '서울'을 이르는 말, 萬戶長安)	
障碍	장애	막을 장	거리낄 애	(障碍人)	
莊園	장원	엄할 장/田莊 장	동산 원		
壯元及第	장원급제	장할 장	으뜸 원	미칠 급	차례 제
長幼有序	장유유서	길/어른 장	어릴 유	있을 유	차례 서
丈人	장인	어른/장인 장	사람 인	(丈人과 丈母)	
裝塡	장전	꾸밀/넣을 장	메울 전	(총알을 裝塡하다)	
裝置	장치	꾸밀 장	둘 치	(裝置産業)	
才幹	재간	재주 재	줄기/재능 간		
裁量	재량	마를 재	헤아릴 량(양)	(實務者의 裁量에 맡기다)	
財物損壞	재물손괴	재물 재	물건 물	덜/해칠 손	무너질/파괴할 괴
財數	재수	재물 재	셈 수	(財數없다)	
才勝德薄	재승덕박	재주 재	이길 승	클/덕 덕	엷을 박
災殃	재앙	재앙 재	재앙 앙	(自然災害)	
才子佳人	재자가인	재주 재	아들/사람 자	아름다울 가	사람 인
才致	재치	재주 재	이를 치	(유의어 機智)	
在宅勤務	재택근무	있을 재	집 택	부지런할 근	힘쓸 무
裁判	재판	마를 재	판단할 판		
抵當	저당	막을 저	마땅/저당할 당	(根抵當 設定)	
底邊擴大	저변확대	밑 저	가 변	넓힐 확	큰 대

沮止	저지	막을 저	그칠 지	
抵觸	저촉	막을/거스를 저	닿을 촉	(法에 抵觸되다)
貯蓄	저축	쌓을 저	모을 축	(勤儉貯蓄)
低出産高齡化	저출산고령화	낮을 저, 날 출	낳을 산	높을 고, 나이 령(영) 될 화
抵抗	저항	막을 저	겨룰 항	
敵愾心	적개심	대적할/원수 적	성낼 개	마음 심
赤裸裸	적나라	붉을/벌거벗을 적	벗을 라(나)	
寂寞江山	적막강산	고요할 적	고요할 막	강 강 메 산
摘發	적발	딸/들추어낼 적	필/드러낼 발	(痲藥事犯 摘發)
賊反荷杖	적반하장	도둑 적	돌이킬 반	꾸짖을/멜 하 몽둥이 장
敵産家屋	적산가옥	대적할/원수 적	낳을 산	집 가 집 옥
適者生存	적자생존	맞을 적	놈 자	날/살 생 있을 존
積載	적재	쌓을 적	실을 재	(積載定量, 積載函)
適材適所	적재적소	맞을 적	재목 재	바 소
適切	적절	맞을 적	끊을 절	
摘出	적출	딸/들추어낼 적	날 출	(眼球摘出)
積弊淸算	적폐청산	쌓을 적	폐단 폐	맑을 청 셈 산
電光石火	전광석화	번개 전	빛 광	돌 석 불 화
傳單紙	전단지	전할 전	홑/단자 단	종이 지
前代未聞	전대미문	앞 전	대신할/시대 대	아닐 미 들을 문
顚倒	전도	엎드러질 전	넘어질 도	(本末顚倒)

前途洋洋	전도양양	앞 전	길 도	큰바다 양
前立腺	전립선	앞 전	설 립(입)	샘 선
顚末	전말	엎드러질/ 근본 전	끝 말	(事件의 顚末)
全滅	전멸	온전 전	꺼질 멸	(全滅의 危機에 處하다)
顚覆	전복	엎드러질 전	뒤집힐 복	
傳貰	전세	전할 전	세낼 세	(傳貰詐欺)
專業	전업	오로지 전	업 업	(專業主婦)
傳染病	전염병	전할 전	물들 염	병 병
戰慄	전율	싸움 전	떨릴 률(율)	
前人未踏	전인미답	앞 전	사람 인	아닐 미 밟을 답
輾轉反側	전전반측	돌아누울 전	구를 전	돌이킬 반 곁 측
前提	전제	앞 전	끌/제시할 제	
專制政治	전제정치	오로지 전	절제할/ 억제할 제	정사 정 다스릴 치
剪枝	전지	자를 전	가지 지	
前轍	전철	앞 전	바퀴자국 철	(以前 사람의 그릇된 일이나 行動의 자취)
前哨戰	전초전	앞 전	망볼 초	싸움 전
轉禍爲福	전화위복	구를 전	재앙 화	될 위 복 복
轉換點	전환점	구를 전	바꿀 환	점 점
節槪	절개	마디/절개 절	대개/절개 개	(節義와 氣槪)
節介	절개	마디/절개 절	낄/강직할 개	(= 節槪)
絶叫	절규	끊을 절	부르짖을 규	

切迫	절박	끊을/매우 절	핍박할/급할 박	(切迫感)
絶壁	절벽	끊을 절	벽 벽	
切磋琢磨	절차탁마	끊을/갈 절	갈 차	다듬을 탁 갈 마
絶讚	절찬	끊을/지극 절	기릴 찬	(絶讚上映 中)
絶體絶命	절체절명	끊을 절	몸 체	목숨 명
折衝	절충	꺾을 절	찌를/戰車 충	(유의어 交涉, 妥協)
切齒腐心	절치부심	끊을/갈 절	이 치	썩을 부 마음 심
切親	절친	끊을/매우 절	친할 친	(切親한 親舊)
絶海孤島	절해고도	끊을 절	바다 해	외로울 고 섬 도
絶好	절호	끊을/지극 절	좋을 호	(絶好의 機會)
占據	점거	점칠/점령할 점	근거 거	(占據籠城)
點檢	점검	점/점검할 점	검사할 검	
占卦	점괘	점칠 점	점괘 괘	(좋은 占卦가 나오다)
點燈	점등	점/불붙일 점	등 등	(반의어 滅燈, 消燈)
占領	점령	점칠/점령할 점	옷깃/거느릴 령(영)	
點心	점심	점/점찍을 점	마음 심	(中食, lunch)
點眼液	점안액	점/물방울 점	눈 안	진 액 (eye drops)
漸入佳境	점입가경	점점 점	들 입	아름다울 가 지경 경
漸層法	점층법	점점 점	층 층	법 법
點呼	점호	점/점검할 점	부를 호	(日夕點呼)
正刻	정각	바를 정	새길/시각 각	(正刻三時)

政經癒着	정경유착	정사 정	지날/경영 경	병나을/병들 유	붙을 착
正鵠	정곡	바를 정	고니/과녁 곡		
精巧	정교	정할 정	공교할 교		
停年	정년	머무를 정	해 년(연)	(停年退職)	
正當防衛	정당방위	바를 정	마땅 당	막을 방	지킬 위
整頓	정돈	가지런할 정	조아릴 돈	(整理整頓)	
頂門一鍼	정문일침	정수리 정	문 문	한 일	바늘 침
情報	정보	뜻 정	알릴 보		
征服	정복	칠 정	옷/복종할 복		
情緒	정서	뜻 정	실마리 서	(情緒涵養)	
精髓	정수	정할 정	뼛골 수		
靜肅	정숙	고요할 정	엄숙할 숙		
精神錯亂	정신착란	정할 정	귀신 신	어긋날 착	어지러울 란(난)
精銳軍	정예군	정할 정	날카로울 예	군사 군	
正誤表	정오표	바를 정	그르칠 오	겉/표 표	
井底之蛙	정저지와	우물 정	밑 저	갈/어조사 지	개구리 와
訂正	정정	고칠 정	바를 정		
正正堂堂	정정당당	바를 정	집/당당할 당		
貞操	정조	곧을/정절 정	잡을 조	(貞操觀念)	
偵察	정찰	염탐할 정	살필 찰	(無人偵察機)	
停滯	정체	머무를 정	막힐 체	(交通停滯)	
正體性	정체성	바를 정	몸 체	성품/성질 성	

正確	정확	바를 정	굳을 확	
情況	정황	뜻/사정 정	상황 황	(情況證據)
帝國主義	제국주의	임금 제	나라 국	임금/주인 주 옳을 의
堤潰蟻穴	제궤의혈	둑 제	무너질 궤	개미 의 구멍 혈
提報	제보	끌/제시할 제	알릴 보	(匿名으로 提報하다)
制服	제복	절제할/지을 제	옷 복	(uniform)
祭祀	제사	제사 제	제사 사	(忌祭祀: 죽은 날에 지내는 祭祀)
提示	제시	끌/제시할 제	보일 시	(意見을 提示하다, 令狀 提示)
提案	제안	끌/제시할 제	책상/안건 안	
制裁	제재	절제할/억제할 제	마를 재	(强力한 制裁案을 마련하다)
除籍	제적	덜 제	문서 적	(學籍 따위에서 이름을 지워버림)
祭政一致	제정일치	제사 제	정사 정	한 일 이를 치
制霸	제패	절제할/지을 제	으뜸 패	(世界制霸)
諸侯	제후	모두 제	제후 후	(封建時代의 諸侯)
提携	제휴	끌 제	이끌 휴	(戰略的 提携)
糟糠之妻	조강지처	지게미 조	겨 강	갈/어조사 지 아내 처
朝貢	조공	아침/알현할 조	바칠 공	(宗主國에 朝貢을 바치다)
躁急症	조급증	조급할 조	급할 급	증세 증
弔旗	조기	조상할 조	기 기	(弔旗를 揭揚하다)
遭難	조난	만날 조	어려울 난	(遭難救助)
調達	조달	고를 조	통달할/갖출 달	(調達廳)

凋落	조락	시들 조	떨어질 락(낙) (가을은 凋落의 季節)
朝令暮改	조령모개	아침 조	하여금/명령 저물 모	고칠 개
			령(영)	
朝露人生	조로인생	아침 조	이슬 로(노) 사람 인	날/살 생
嘲弄	조롱	비웃을 조	희롱할 롱(농) (유의어 愚弄)
眺望	조망	바라볼 조	바랄/바라볼 망
弔問	조문	조상할 조	물을 문
朝變夕改	조변석개	아침 조	변할 변	저녁 석	고칠 개
朝三暮四	조삼모사	아침 조	석 삼	저물 모	넉 사
操身	조신	잡을 조	몸 신	(몸가짐이 操身하다)
操心	조심	잡을 조	마음 심
釣魚臺	조어대	낚을 조	물고기 어	대 대	(中國 迎賓館)
操業日數	조업일수	잡을 조	업/일 업	날 일	셈 수
造影劑	조영제	지을 조	그림자 영	약제 제	(造影劑 注射)
造詣	조예	지을 조	이를 예	(學問에 造詣가 깊다)
遭遇	조우	만날 조	만날 우
棗栗梨柿	조율이시	대추 조	밤 률(율)	배나무 리	감나무 시
				(이)	
操作	조작	잡을 조	지을 작	(株價操作)
調整	조정	고를 조	가지런할 정
調停	조정	고를 조	머무를/멈출	(= 仲裁)
			정	
調劑	조제	고를 조	약제 제	(處方調劑)
鳥足之血	조족지혈	새 조	발 족	갈/어조사 지 피 혈
操縱	조종	잡을/조종할 세로/놓아줄	(時勢操縱, 飛行機 操縱士)
		조	종	

照準	조준	비칠 조	준할 준	(照準射擊)	
兆朕	조짐	조/조짐 조	나/조짐 짐		
措置	조치	둘 조	둘 치		
操舵	조타	잡을 조	키 타	(操舵手)	
調絃病	조현병	고를 조	줄 현	병 병	(精神分裂病)
照會	조회	비칠 조	모일 회	(身元照會)	
族閥	족벌	겨레 족	문벌 벌	(族閥經營)	
族譜	족보	겨레 족	족보 보	(族譜를 따지다[캐다])	
尊卑屬	존비속	높을 존	낮을 비	무리 속	(直系 尊卑屬)
拙劣	졸렬	옹졸할 졸	못할 렬(열)		
猝富	졸부	갑자기 졸	부유할 부	(벼락富者)	
種豆得豆	종두득두	씨 종	콩 두	얻을 득	
宗廟	종묘	마루/종묘 종	사당 묘	(宗廟社稷)	
宗氏	종씨	마루/일족 종	성씨 씨	(宗氏를 만나 기쁘다)	
腫瘍	종양	종기 종	헐/종기 양	(腦腫瘍)	
慫慂	종용	권할 종	권할 용		
縱走	종주	세로 종	달릴 주	(國土縱走 自轉車길)	
終止符	종지부	마칠 종	그칠 지	부호 부	(마침표)
縱橫無盡	종횡무진	세로 종	가로 횡	없을 무	다할 진
左顧右眄	좌고우면	왼 좌	돌아볼 고	오른 우	곁눈질할 면
坐不安席	좌불안석	앉을 좌	아닐 불	편안 안	자리 석
挫折感	좌절감	꺾을 좌	꺾을 절	느낄 감	

坐井觀天	좌정관천	앉을 좌	우물 정	볼 관	하늘 천
左之右之	좌지우지	왼 좌	갈/쓸 지	오른 우	
左遷	좌천	왼/낮은자리 옮길 천 좌		(責任을 물어 左遷시킴, 반의어 榮轉)	
坐礁	좌초	앉을 좌	암초 초	(暗礁에 부딪혀 坐礁되다)	
左衝右突	좌충우돌	왼 좌	찌를 충	오른 우	갑자기 돌
罪囚	죄수	허물/죄 죄	가둘 수		
主客顚倒	주객전도	임금/주인 손 객 주		뒤집힐 전	넘어질 도
晝耕夜讀	주경야독	낮 주	밭갈 경	밤 야	읽을 독
走狗	주구	달릴 주	개 구	(유의어 앞잡이, 忠犬)	
周到綿密	주도면밀	두루 주	이를 도	솜 면	빽빽할 밀
走馬加鞭	주마가편	달릴 주	말 마	더할 가	채찍 편
走馬看山	주마간산	달릴 주	말 마	볼 간	메 산
注目	주목	부을 주	눈 목		
廚房	주방	부엌 주	방 방	(廚房用品, 廚房家具)	
周旋	주선	두루 주	돌 선	(유의어 斡旋)	
株式	주식	그루 주	법 식	(株式과 債券)	
酒案床	주안상	술 주	책상 안	평상 상	
晝夜長川	주야장천	낮 주	밤 야	길 장	내 천
周遊	주유	두루 주	놀 유		
注意	주의	부을 주	뜻/생각 의	(注意事項)	
朱雀	주작	붉을 주	참새 작	(左靑龍 右白虎 南朱雀 北玄武)	
主將	주장	임금/주인 장수 장 주		(韓國팀 主將)	

酒煎子	주전자	술 주	달일 전	아들 자	
酒池肉林	주지육림	술 주	못 지	고기 육	수풀 림(임)
主唱	주창	임금/주인 주	부를 창		
主催	주최	임금/주인 주	재촉할 최		
竹馬故友	죽마고우	대 죽	말 마	연고/옛 고	벗 우
準據集團	준거집단	준할 준	근거 거	모을 집	둥글/집단 단
竣工	준공	마칠 준	장인/일 공	(竣工檢査)	
蠢動	준동	꿈틀거릴 준	움직일 동	(共匪들이 蠢動하다)	
遵法精神	준법정신	좇을 준	법 법	정할 정	귀신 신
準備	준비	준할 준	갖출/준비할 비		
浚渫	준설	깊게할 준	파낼 설	(河川浚渫)	
啐啄同時	줄탁동시	빠는소리 줄	쫄 탁	한가지/같을 동	때 시
仲介人	중개인	버금/가운데 중	낄 개	사람 인	(유의어 仲介商)
中堅	중견	가운데 중	굳을 견	(中堅企業, 中堅社員, 中堅手)	
中繼貿易	중계무역	가운데 중	이을 계	무역할 무	바꿀 역
衆寡不敵	중과부적	무리 중	적을 과	아닐 부	대적할/원수 적
衆口難防	중구난방	무리 중	입 구	어려울 난	막을 방
中途金	중도금	가운데 중	길 도	쇠 금	
中毒	중독	가운데 중	독 독	(藥物中毒)	
仲媒人	중매인	버금/가운데 중	중매 매	사람 인	(仲媒쟁이)
重複	중복	무거울/겹칠 중	겹칠 복	(重複加入)	

中傷謀略	중상모략	가운데/해칠 다칠/해칠 상 꾀 모		다스릴/꾀 략 (략)
		중		
重言復言	중언부언	무거울/	말씀 언	회복할 복/
		거듭할 중		다시 부
中葉	중엽	가운데 중	잎/시대 엽	(新羅 時代 中葉)
重要	중요	무거울 중	요긴할 요	
重用	중용	무거울 중	쓸 용	(要職에 重用하다)
中庸	중용	가운데 중	떳떳할 용	(中庸의 道)
重症疾患	중증질환	무거울 중	증세 증	병 질 근심 환
重鎭	중진	무거울 중	진압할/지킬 진	(黨의 重鎭들이 會同하다)
重唱	중창	무거울/겹칠 중	부를 창	(獨唱, 重唱, 合唱)
重疊	중첩	무거울/ 거듭할 중	겹쳐질 첩	(山이 重疊해 있다)
中樞	중추	가운데 중	지도리/근원 추	(中樞的 役割)
仲秋佳節	중추가절	버금/가운데 중	가을 추	아름다울 가 마디/절기 절
重厚	중후	무거울 중	두터울 후	
卽問卽答	즉문즉답	곧 즉	물을 문	대답 답
卽位	즉위	곧 즉	자리 위	(皇帝 卽位式)
卽興	즉흥	곧 즉	일 흥	(卽興演奏)
櫛比	즐비	빗 즐	견줄 비	
櫛風沐雨	즐풍목우	빗 즐	바람 풍	머리감을 목 비 우
證券	증권	증거 증	문서 권	
增補版	증보판	더할 증	기울 보	판목 판 (增補版을 3年 만에 냈다)
證憑	증빙	증거 증	기댈 빙	(證憑書類)

症勢	증세	증세 증	형세 세	(유의어 症狀, 症候)
贈與	증여	줄 증	줄 여	
憎惡	증오	미울 증	악할 악/ 미워할 오	(憎惡犯罪)
贈呈	증정	줄 증	드릴 정	(유의어 寄贈)
增進	증진	더할 증	나아갈 진	
增幅	증폭	더할 증	폭 폭	
症候群	증후군	증세 증	기후/조짐 후 무리 군	(名節症候群)
地殼	지각	땅 지	껍질 각	(地殼變動)
遲刻	지각	더딜 지	새길/시간 각	(遲刻事態)
持久力	지구력	가질 지	오랠 구	힘 력(역)
知己之友	지기지우	알 지	몸/자기 기	갈/어조사 지 벗 우
芝蘭之交	지란지교	지초/영지 지	난초 란(난)	갈/어조사 지 사귈 교
指鹿爲馬	지록위마	가리킬 지	사슴 록(녹)	할 위 말 마
地雷	지뢰	땅 지	우레 뢰(뇌)	(mine)
支離滅裂	지리멸렬	지탱할/가를 지	떠날 리(이)	꺼질 멸 찢을 렬(열)
指名手配	지명수배	가리킬 지	이름 명	손 수 나눌 배
地文	지문	땅/바탕 지	글월 문	(유의어 바탕글, 例文)
指紋	지문	가리킬/ 손가락 지	무늬 문	(指紋을 採取하다)
脂肪	지방	기름 지	살찔 방	(3大 營養素: 炭水化物, 蛋白質, 脂肪)
支配	지배	지탱할 지	나눌 배	(支配構造)
持病	지병	가질 지	병 병	(유의어 痼疾病)
持斧上疏	지부상소	가질 지	도끼 부	위 상 소통할/상소할

持分	지분	가질 지	나눌 분	(持分讓渡)
支拂	지불	지탱할/치를 떨칠 불 지		(支拂能力)
指示	지시	가리킬 지	보일 시	(유의어 指摘)
止揚	지양	그칠 지	날릴 양	(더 높은 段階로 오르기 위해 하지 않음)
遲延	지연	더딜 지	끌/늘일 연	(罷業으로 工事가 遲延되다)
志願	지원	뜻 지	원할 원	(英文學科에 志願하다)
指摘	지적	가리킬 지	딸/들추어낼 적	(指摘질)
志操	지조	뜻 지	잡을/절조 조	(志操 높은 선비, 志操를 지키다)
遲遲不進	지지부진	더딜 지	아닐 부	나아갈 진
支持者	지지자	가를/지탱할 지	가질/도울 지	놈 자
地震	지진	땅 지	우레 진	
持參金	지참금	가질 지	참여할 참	쇠 금 　　　(結婚持參金)
咫尺之間	지척지간	여덟치 지	자 척	갈/어조사 지　사이 간
至賤	지천	이를 지	천할 천	(꽃이 至賤으로 피어 있다)
遲滯	지체	더딜 지	막힐 체	
支出	지출	지탱할/지불 날 출 지		(반의어 收入)
地層	지층	땅 지	층 층	
指彈	지탄	가리킬 지	탄알/과실 탄	
指標	지표	가리킬 지	표할 표	(經濟指標)
知彼知己	지피지기	알 지	저 피	몸/자기 기
知行合一	지행합일	알 지	다닐/행할 행	합할 합　　　한 일

智慧	지혜	슬기 지	슬기로울 혜		
職務遺棄	직무유기	직분 직	힘쓸 무	남길/버릴 유	버릴 기
珍貴	진귀	보배 진	귀할 귀	(珍貴한 寶物)	
診斷	진단	진찰할 진	끊을/결단할 단	(診斷書)	
振動	진동	떨칠 진	움직일 동		
診療	진료	진찰할 진	고칠 료(요)		
眞面貌	진면모	참 진	낯 면	모양 모	(유의어 眞面目)
陳腐	진부	베풀/묵을 진	썩을 부	(반의어 斬新)	
眞相	진상	참 진	서로/모양 상	(眞相調査)	
進上品	진상품	나아갈 진	위 상	물건 품	(임금에게 바치던 進上品)
眞髓	진수	참 진	뼛골 수		
珍羞盛饌	진수성찬	보배 진	부끄러울/음식 수	성할 성	반찬 찬
陳述	진술	베풀/말할 진	펼/말할 술	(陳述拒否)	
鎭壓	진압	진압할 진	누를 압	(示威鎭壓)	
震源地	진원지	우레 진	근원 원	땅 지	(震央의 俗稱)
盡人事待天命	진인사대천명	다할 진, 사람 인	일 사, 기다릴 대	하늘 천	목숨/명령 명
振作	진작	떨칠 진	지을/일어날 작	(士氣振作)	
進展	진전	나아갈 진	펼 전	(急進展)	
鎭靜	진정	진압할 진	고요할 정	(유의어 平定, 收拾)	
眞摯	진지	참 진	잡을/지극할 지	(表情이 사뭇 眞摯하다)	
津津	진진	나루/윤택할 진	(맛이 있음)		

塵土	진토	티끌 진	흙 토	
進退兩難	진퇴양난	나아갈 진	물러날 퇴	두 량(양) 어려울 난
進退維谷	진퇴유곡	나아갈 진	물러날 퇴	벼리 유 골 곡
振幅	진폭	떨칠 진	폭 폭	
桎梏	질곡	차꼬 질	수갑 곡	(桎梏의 삶, 桎梏의 歷史)
秩序整然	질서정연	차례 질	차례 서	가지런할 정 그럴 연
嫉視	질시	미워할 질	볼 시	(嫉視의 눈초리로 바라보다)
窒息	질식	막힐 질	쉴 식	
疾走	질주	병/빨리 질	달릴 주	(疾走本能)
叱責	질책	꾸짖을 질	꾸짖을 책	
叱咤激勵	질타격려	꾸짖을 질	꾸짖을 타	격할 격 힘쓸 려(여)
嫉妬	질투	미워할 질	샘낼 투	
集團斃死	집단폐사	모을 집	모일 단	죽을 폐 죽을 사
執拗	집요	잡을 집	우길 요	
執中	집중	잡을 집	가운데 중	
執着	집착	잡을 집	붙을 착	
執行	집행	잡을 집	다닐/행할 행	(執行猶豫)
徵兵制	징병제	부를 징	병사 병	절제할/법도 제 (vs 募兵制)
徵收	징수	부를/거둘 징	거둘 수	(不當徵收)
懲役	징역	징계할 징	부릴 역	
徵用	징용	부를 징	쓸 용	(日帝의 强制徵用)
徵兆	징조	부를 징	조/조짐 조	(유의어 證候, 前兆)

徵集	징집	부를 징	모을 집	(强制徵集)
徵候	징후	부를 징	기후/조짐 후	(異常徵候)
車輛	차량	수레 차	수레 량(양)	
差別	차별	다를 차	다를 별	(差別禁止)
遮水板	차수판	가릴 차	물 수	널빤지 판
此日彼日	차일피일	이 차	날 일	저 피
此際	차제	이 차	사귈/즈음 제	
蹉跌	차질	미끄러질 차	거꾸러질 질	
差出	차출	다를/가릴 차	날 출	(代表팀 差出)
錯覺	착각	어긋날 착	깨달을 각	
着實	착실	붙을 착	열매 실	(그는 着實하고 善하다)
錯雜	착잡	어긋날 착	섞일 잡	
搾取	착취	짤 착	가질 취	
燦爛	찬란	빛날 찬	빛날 란(난)	(輝煌燦爛)
讚揚	찬양	기릴 찬	날릴 양	(유의어 讚頌)
饌欌	찬장	반찬 찬	장롱 장	(부엌 饌欌을 整理하다)
贊助演說	찬조연설	도울 찬	도울 조	펼 연　　　말씀 설
擦過傷	찰과상	문지를 찰	지날 과	다칠 상
刹那	찰나	절 찰	어찌 나	
參見	참견	참여할 참	볼 견	(主題넘은 參見)
慘劇	참극	참혹할 참	심할 극	
慘憺	참담	참혹할 참	참담할 담	

參謀	참모	참여할 참	꾀 모	(參謀總長)
參拜	참배	참여할 참	절 배	(神社參拜)
慘事	참사	참혹할 참	일 사	(無理한 着陸이 慘事를 빚었다)
慘狀	참상	참혹할 참	형상 상	(戰爭의 慘狀)
參禪	참선	참여할 참	선 선	(參禪修行)
斬首	참수	벨 참	머리 수	(梟首(올빼미/목매달 효): 목을 베어 매달아 놓음)
斬新	참신	벨/매우 참	새 신	
參酌	참작	참여할 참	술부을/헤아릴 작	(情狀參酌)
慘慽	참척	참혹할 참	근심할 척	(외아들을 앞세운 慘慽의 쓰라림)
斬刑	참형	벨 참	형벌 형	
慘酷	참혹	참혹할 참	심할 혹	(戰爭의 慘酷相)
懺悔	참회	뉘우칠 참	뉘우칠 회	(懺悔의 祈禱)
蒼空	창공	푸를 창	빌/공중 공	
猖獗	창궐	미쳐날뛸 창	날뛸 궐	(傳染病이 猖獗하다)
暢達	창달	펼/통할 창	통달할/전할 달	(文化暢達)
創設	창설	비롯할 창	베풀/세울 설	(유의어 創立)
昌盛	창성	창성할 창	성할 성	
倉卒之間	창졸지간	곳집/갑자기 창	마칠 졸	갈/어조사 지 사이 간
菖蒲	창포	창포 창	부들 포	
猖披	창피	미쳐날뛸 창	헤칠 피	(부끄럽고 猖披하다)
滄海一粟	창해일속	큰바다 창	바다 해	한 일 조 속
採光	채광	캘 채	빛 광	(南向이어서 採光이 좋다)

探掘	채굴	캘 채	팔 굴	(暗號貨幣 探掘)	
探納	채납	캘 채	들일 납	(寄附採納)	
菜蔬	채소	나물 채	나물 소		
採用	채용	캘 채	쓸 용	(採用博覽會)	
採點	채점	캘 채	점/셀 점	(學期末試驗 採點)	
採集	채집	캘 채	모을 집	(植物採集, 昆蟲採集)	
採取	채취	깰 채	가질 취	(狩獵과 採取에 依存)	
採擇	채택	캘 채	가릴 택		
冊封	책봉	책/세울 책	봉할 봉	(世子冊封)	
責任轉嫁	책임전가	꾸짖을/책임 책	맡길 임	구를 전	시집갈/떠넘길 가
策定	책정	꾀 책	정할 정	(登錄金 策定이 自律化되었다)	
凄凉	처량	쓸쓸할 처	서늘할 량(양)	(凄凉한 身世)	
處方箋	처방전	곳 처	모 방	기록할 전	
處罰水位	처벌수위	곳 처	벌할 벌	물 수	자리 위
處暑	처서	곳/멈출 처	더울 서	(24節氣, 立秋와 白露 사이)	
凄然	처연	쓸쓸할 처	그럴 연	(외롭고 쓸쓸하고 구슬픔)	
處遇	처우	곳 처	만날/예우할 우	(處遇改善)	
悽絶	처절	슬퍼할 처	끊을 절		
悽慘	처참	슬퍼할 처	참혹할 참		
尺度	척도	자 척	법도/자 도		
瘠薄	척박	파리할 척	엷을 박	(瘠薄한 土壤)	
斥邪衛正	척사위정	물리칠 척	간사할 사	지킬 위	바를 정

脊椎	척추	등마루 척	쇠뭉치 추	(脊椎動物)
斥和洋夷	척화양이	물리칠 척	화할 화	큰바다/서양 양 · 오랑캐 이
斥候兵	척후병	물리칠/엿볼 척	기후/상황 후	병사 병 · (斥候兵을 보내 動靜을 살피다)
薦擧	천거	천거할 천	들 거	(人才를 薦擧하다)
天高馬肥	천고마비	하늘 천	높을 고	말 마 · 살찔 비
天機漏洩	천기누설	하늘 천	틀/비밀 기	샐 루(누) · 샐 설
賤待	천대	천할 천	기다릴/대접할 대	
遷都	천도	옮길 천	도읍 도	
千慮一失	천려일실	일천 천	생각할 려(여)	한 일 · 잃을 실
川獵	천렵	내 천	사냥 렵(엽)	
千萬多幸	천만다행	일천 천	일만 만	많을 다 · 다행 행
闡明	천명	밝힐 천	밝을 명	(意志를 闡明하다)
天方地軸	천방지축	하늘 천	모 방	땅 지 · 굴대 축
天賦的	천부적	하늘 천	부세/줄 부	과녁/어조사 적
天崩之痛	천붕지통	하늘 천	무너질 붕	갈/어조사 지 · 아플 통
千祥雲集	천상운집	일천 천	상서 상	구름 운 · 모을 집
天生緣分	천생연분	하늘 천	날/살 생	인연 연 · 나눌 분
喘息	천식	숨찰 천	쉴 식	
千辛萬苦	천신만고	일천 천	매울 신	일만 만 · 쓸 고
天涯孤兒	천애고아	하늘 천	물가/끝 애	외로울 고 · 아이 아
天壤之差	천양지차	하늘 천	흙덩이 양	갈/어조사 지 · 다를 차
天壤懸隔	천양현격	하늘 천	흙덩이 양	달 현 · 사이뜰 격

天佑神助	천우신조	일천 천	도울 우	귀신 신	도울 조
天衣無縫	천의무봉	하늘 천	옷 의	없을 무	꿰맬 봉
千紫萬紅	천자만홍	일천 천	자줏빛 자	일만 만	붉을 홍
天障	천장	하늘 천	막을 장	(멍하니 天障만 바라보다)	
千載一遇	천재일우	일천 천	실을/年 재	한 일	만날 우
天災地變	천재지변	하늘 천	재앙 재	땅 지	변할/재앙 변
天井不知	천정부지	하늘 천	우물 정	아닐 부	알 지
天地開闢	천지개벽	하늘 천	땅 지	열 개	열 벽
天地神明	천지신명	하늘 천	땅 지	귀신 신	밝을 명
天眞爛漫	천진난만	하늘 천	참 진	빛날 란(난)	흩어질 만
千差萬別	천차만별	일천 천	다를 차	일만 만	다를 별
天癡	천치	하늘 천	어리석을 치	(天癡바보)	
天秤	천칭	하늘 천	저울 칭	(양팔저울)	
千態萬象	천태만상	일천 천	모습 태	일만 만	코끼리/모양 상
千篇一律	천편일률	일천 천	책 편	한 일	법칙 률(율)
天下無敵	천하무적	하늘 천	아래 하	없을 무	대적할/원수 적
天惠	천혜	하늘 천	은혜 혜	(天惠의 寶庫)	
徹頭徹尾	철두철미	통할 철	머리 두	꼬리 미	
鐵分	철분	쇠 철	나눌 분		
徹夜	철야	통할 철	밤 야	(徹夜籠城)	
鐵甕城	철옹성	쇠 철	독 옹	재/성 성	
徹天之恨	철천지한	통할 철	하늘 천	갈/어조사 지	한 한

撤廢	철폐	거둘 철	폐할 폐	(人種差別 撤廢)	
哲學	철학	밝을 철	배울 학	(유의어 形而上學)	
撤回	철회	거둘 철	돌아올 회		
尖端	첨단	뾰족할 첨	끝 단	(尖端産業)	
添削	첨삭	더할 첨	깎을 삭	(添削指導)	
尖銳	첨예	뾰족할 첨	날카로울 예	(尖銳한 外交葛藤)	
捷徑	첩경	이길/빠를 첩	지름길 경		
諜報	첩보	염탐할 첩	갚을/알릴 보		
疊疊山中	첩첩산중	거듭 첩	메 산	가운데 중	
淸廉潔白	청렴결백	맑을 청	청렴할 렴(염)	깨끗할 결	흰 백
淸明	청명	맑을 청	밝을 명	(24節氣, 春分과 穀雨 사이)	
聽聞會	청문회	들을 청	들을 문	모일 회	
淸白吏	청백리	맑을 청	흰 백	벼슬아치 리	
淸算	청산	맑을 청	셈 산	(淸算節次)	
靑山流水	청산유수	푸를 청	메 산	흐를 류(유)	물 수
靑孀寡婦	청상과부	푸를/젊을 청	홀어머니 상	적을/과부 과	며느리/여자 부
淸掃	청소	맑을 청	쓸 소	(유의어 掃除)	
靑雲之志	청운지지	푸를 청	구름 운	갈/어조사 지	뜻 지
靑天白日	청천백일	푸를 청	하늘 천	흰 백	날 일
靑天霹靂	청천벽력	푸를 청	하늘 천	벼락 벽	벼락 력(역)
請牒狀	청첩장	청할 청	편지 첩	문서 장	
靑出於藍	청출어람	푸를 청	날 출	어조사 어	쪽 람(남)

請託	청탁	청할 청	부탁할 탁	(不正請託禁止法)
締結	체결	맺을 체	맺을 결	
體軀	체구	몸 체	몸 구	(덩치, 몸, 몸집)
滯納	체납	막힐 체	들일 납	(稅金滯納)
諦念	체념	살필 체	생각 념(염)	(아주 斷念함)
滯留	체류	막힐/머무를 체	머무를 류(유)	(不法滯留)
滯拂	체불	막힐 체	떨칠/치를 불	(賃金滯拂)
體制	체제	몸 체	절제할/지을 제	(體制維持)
體操	체조	몸 체	잡을 조	
遞增	체증	갈릴 체	더할 증	(遞減의 반의어)
滯症	체증	막힐 체	증세 증	(交通滯症)
逮捕	체포	미칠 체	잡을 포	(逮捕令狀)
體驗	체험	몸 체	시험 험	

草家三間	초가삼간	풀 초	집 가	석 삼	사이 간
哨戒機	초계기	망볼 초	경계할 계	틀/기계 기	
招待	초대	부를 초	기다릴/대접할 대		
樵童汲婦	초동급부	나무할 초	아이 동	길을 급	며느리/여자 부
招來	초래	부를 초	올 래(내)		
草露人生	초로인생	풀 초	이슬 로(노)	사람 인	날/살 생
抄錄	초록	뽑을 초	기록할 록(녹)	(所用될 만한 것만 뽑아 적음)	
草綠同色	초록동색	풀 초	푸를 록(녹)	한가지 동	빛 색
焦眉之急	초미지급	탈 초	눈썹 미	갈/어조사 지	급할 급

哨兵	초병	망볼 초	병사 병	
招聘	초빙	부를 초	부를 빙	(外部人士 招聘)
初喪	초상	처음 초	잃을 상	
肖像畵	초상화	닮을 초	모양 상	그림 화
超傳導體	초전도체	넘을 초	전할 전	인도할 도 몸 체
焦點	초점	탈 초	점 점	
焦燥	초조	탈 초	마를 조	
初志一貫	초지일관	처음 초	뜻 지	한 일 꿸 관
招請狀	초청장	부를 초	청할 청	문서 장
憔悴	초췌	파리할 초	파리할 췌	
招致	초치	부를 초	이를 치	(代使를 招致하다)
焦土化	초토화	탈 초	흙 토	될 화
囑望	촉망	흡족할 촉	바랄 망	
觸媒	촉매	닿을 촉	중매 매	(觸媒劑)
觸法少年	촉법소년	닿을 촉	법 법	젊을 소 해 년(연)
村老	촌로	마을 촌	늙을 로(노)	
寸鐵殺人	촌철살인	마디 촌	쇠 철	죽일 살 사람 인
總括	총괄	합할 총	묶을 괄	(業務 總括, 總括 評價)
聰明好學	총명호학	귀밝을 총	밝을 명	좋을 호 배울 학
叢書	총서	떨기 총	글 서	
寵兒	총아	사랑할 총	아이 아	(現代文明의 寵兒 컴퓨터)
寵愛	총애	사랑할 총	사랑 애	
撮影	촬영	모을 촬	그림자 영	(映畵撮影)

催眠	최면	재촉할 최 잘 면	(自己催眠)
最後通牒	최후통첩	가장 최 뒤 후	통할 통 편지 첩
追加	추가	쫓을/보충할 더할 가 추	(追加更正豫算)
追擊	추격	쫓을 추 칠 격	
推計	추계	밀/헤아릴 셀 계 추	
追窮	추궁	쫓을/거슬러 다할 궁 올라갈 추	(責任을 追窮하다)
推戴	추대	밀 추 일 대	
追悼	추도	쫓을/추모할 슬퍼할 도 추	(追悼禮拜)
出斂	추렴	날 출 거둘 렴(염)	(여러 사람이 分擔하여 냄)
推論	추론	밀 추 논할 론(논)	(유의어 推理)
追慕	추모	쫓을/추모할 그릴 모 추	
醜聞	추문	추할 추 들을 문	(醜聞이 떠돌다)
追放	추방	쫓을 추 놓을 방	(外國人追放權)
抽象的	추상적	뽑을 추 코끼리/모양 상	과녁/어조사 적
追敍	추서	쫓을/거슬러 펼/베풀 서 올라갈 추	(故人에게 勳章을 追敍하다)
趨勢	추세	달아날 추 형세 세	
追伸	추신	쫓을/보충할 펼 신 추	(postscript (P.S.))
推尋	추심	밀 추 찾을 심	(債權推尋業務)
推移	추이	밀/헤아릴 옮길 이 추	
推定	추정	밀/헤아릴 정할 정 추	
推進	추진	밀 추 나아갈 진	(業務推進)

追徵	추징	쫓을 추	부를/거둘 징	(稅金追徵)
推薦	추천	밀 추	천거할 천	
抽籤	추첨	뽑을 추	제비 첨	(對陣 抽籤)
抽出	추출	뽑을 추	날 출	(核心만 抽出하다)
推測	추측	밀/헤아릴 추	헤아릴 측	
秋風落葉	추풍낙엽	가을 추	바람 풍	떨어질 락(낙) 잎 엽
醜行	추행	추할 추	다닐/행할 행	(性醜行)
蹴球	축구	찰 축	공 구	
築臺	축대	쌓을 축	대 대	
祝儀	축의	빌 축	거동/선물 의	(祝儀金)
蓄財	축재	모을 축	재물 재	(不正蓄財)
蓄積	축적	모을 축	쌓을 적	(富를 蓄積하다)
祝祭	축제	빌 축	제사 제	
縮地法	축지법	줄일 축	땅 지	법 법
縮尺	축척	줄일 축	자 척	(줄인자)
逐出	축출	쫓을 축	날 출	(學者들이 國外로 逐出되었다)
春夏秋冬	춘하추동	봄 춘	여름 하	가을 추 겨울 동
出嫁外人	출가외인	날 출	시집갈 가	바깥 외 사람 인
出壘	출루	날 출	보루 루(누)	(打者가 누로 나감)
出沒	출몰	날 출	빠질 몰	(共匪 出沒 地域)
出帆	출범	날 출	돛 범	(出帆式)
出荷	출하	날 출	멜 하	(shipment, 반의어 入荷)

衝擊	충격	찌를 충	칠 격	(衝擊療法)
衝突	충돌	찌를 충	갑자기 돌	
忠言逆耳	충언역이	충성 충	말씀 언	거스를 역　귀 이
充塡	충전	채울 충	메울 전	(交通카드를 充塡하다)
充電	충전	채울 충	번개 전	(高速/緩速充電器)
醉氣	취기	취할 취	기운 기	
趣味	취미	뜻/풍취 취	맛 미	
炊事	취사	불땔 취	일 사	(炊事兵, 自炊 vs 下宿)
取捨選擇	취사선택	가질 취	버릴 사	가릴 선　가릴 택
取消	취소	가질 취	사라질 소	
脆弱階層	취약계층	연할 취	약할 약	섬돌 계　층 층
取調	취조	가질 취	고를 조	(罪人이나 嫌疑者를 取調)
趣旨	취지	뜻 취	뜻 지	
趣向狙擊	취향저격	뜻 취	향할 향	원숭이/노릴 저　칠 격
側近	측근	곁 측	가까울 근	
惻隱之心	측은지심	슬퍼할 측	숨을 은	갈/어조사 지　마음 심
癡呆	치매	어리석을 치	어리석을 매	
恥部	치부	부끄러울 치	떼/분야 부	(恥部와 非理를 파헤치다)
熾烈	치열	성할 치	세찰 렬(열)	
恥辱	치욕	부끄러울 치	욕될 욕	(유의어 不名譽, 侮蔑, 侮辱)
治癒	치유	다스릴 치	병나을 유	
癡情	치정	어리석을	뜻 정	(癡情에 얽힌 事件)

치

齒周疾患	치주질환	이 치	두루/둘레 주 병 질		근심 환
痔疾	치질	치질 치	병 질	(haemorrhoids)	
致賀	치하	이를 치	하례할 하	(勞苦를 致賀하다)	
勅命	칙명	칙서 칙	목숨/명령 명	(유의어 勅令, 勅旨, 御命)	
勅書	칙서	칙서 칙	글 서	(유의어 勅詔)	
親舊	친구	친할 친	예 구		
親戚	친척	친할 친	친척 척	(vs 姻戚: 婚姻에 의해 맺어진 親戚)	
七寶丹粧	칠보단장	일곱 칠	보배 보	붉을 단	단장할 장
七顚八起	칠전팔기	일곱 칠	엎드러질 전	여덟 팔	일어날 기
七縱七擒	칠종칠금	일곱 칠	세로/놓아줄 종	사로잡을 금	
鍼灸	침구	침 침	뜸 구		
寢囊	침낭	잘 침	주머니 낭	(sleeping bag)	
侵擄	침노	침노할 침	노략질할 로(노)	(유의어 侵略)	
侵略	침략	침노할 침	다스릴/약탈할 략(약)		
沈默	침묵	잠길 침	잠잠할 묵		
針小棒大	침소봉대	바늘 침	작을 소	몽둥이 봉	큰 대
侵蝕	침식	침노할 침	좀먹을 식	(유의어 蠹食)	
沈鬱	침울	잠길 침	답답할 울	(沈鬱한 氣色, 沈鬱한 날씨)	
沈潛	침잠	잠길 침	잠길 잠		
沈滯	침체	잠길 침	막힐 체		
侵害	침해	침노할 침	해할 해	(敎權侵害)	

蟄居	칩거	숨을 칩	살 거	(山寺에 蟄居하다)	
稱讚	칭찬	일컬을 칭	기릴 찬		
快刀亂麻	쾌도난마	쾌할 쾌	칼 도	어지러울 란 삼 마 (난)	
快癒	쾌유	쾌할 쾌	병나을 유	(유의어 快差)	
快差	쾌차	쾌할 쾌	다를 차	(유의어 快癒)	
快擲	쾌척	쾌할 쾌	던질 척	(平生 모은 돈을 快擲하다)	
妥結	타결	온당할 타	맺을 결	(賃金協商이 妥結되다)	
妥當	타당	온당할 타	마땅 당	(普遍妥當性)	
墮落	타락	떨어질 타	떨어질 락(낙)		
打撲傷	타박상	칠 타	칠 박	다칠 상	
他山之石	타산지석	다를 타	메 산	갈/어조사 지 돌 석	
惰性	타성	게으를 타	성품 성	(惰性에 젖은 사람)	
唾液	타액	침 타	즙 액		
打破	타파	칠 타	깨뜨릴 파		
妥協	타협	온당할 타	화합할 협	(對話와 妥協의 政治)	
琢磨	탁마	다듬을 탁	갈 마	(切磋琢磨)	
卓上空論	탁상공론	높을 탁	위 상	빌 공	논할 론(논)
託送	탁송	부탁할 탁	보낼 송	(託送料 負擔이 크다)	
卓越	탁월	높을 탁	넘을 월		
彈力	탄력	탄알 탄	힘 력(역)		
綻露	탄로	터질 탄	이슬/ 드러날 로(노)	(本色이 綻露나다)	
炭酸飮料	탄산음료	숯 탄	실 산	마실 음	헤아릴/거리 료(요)

彈性	탄성	탄알 탄	성품/성질 성	
歡聲	탄성	탄식할/ 칭찬할 탄	소리 성	(歡聲을 지르며 좋아하다)
炭素中立	탄소중립	숯 탄	본디/성질 소	가운데 중 설 립(입)
歎息	탄식	탄식할 탄	쉴 식	(유의어 嘆息)
彈壓	탄압	탄알/힐책할 탄	누를 압	
歎願	탄원	탄식할 탄	원할 원	(釋放을 呼訴하는 歎願書)
坦坦大路	탄탄대로	평탄할 탄	큰 대	길 로(노)
彈劾	탄핵	탄알/탄핵할 탄	꾸짖을 핵	(彈劾訴追, 認容 vs 棄却)
脫稿	탈고	벗을 탈	볏짚/원고 고	(原稿를 脫稿하다)
奪取	탈취	빼앗을 탈	가질 취	(現金奪取事件)
脫臭劑	탈취제	벗을 탈	냄새 취	약제 제
奪還	탈환	빼앗을 탈	돌아올 환	
貪官汚吏	탐관오리	탐낼 탐	벼슬 관	더러울 오 벼슬아치 리(이)
探究	탐구	찾을 탐	연구할 구	
貪慾	탐욕	탐낼 탐	욕심 욕	
探險	탐험	찾을 탐	험할 험	
搭乘	탑승	탈 탑	탈 승	(搭乘手續)
蕩子	탕자	방탕할 탕	아들/남자 자	(悔改하고 돌아온 蕩子)
蕩盡	탕진	방탕할 탕	다할 진	(家産蕩盡)
胎敎	태교	아이밸 태	가르칠 교	(胎敎에 神經을 쓰다)
跆拳道	태권도	밟을 태	주먹 권	길/기예 도
胎動	태동	아이밸 태	움직일 동	(胎動하는 봄)

怠慢	태만	게으를 태	거만할/게으를 만		
胎夢	태몽	아이밸 태	꿈 몽		
殆半	태반	거의 태	반 반	(殆半이 農事를 짓는다)	
泰山北斗	태산북두	클 태	메 산	북녘 북	말/별이름 두
胎生的	태생적	아이밸 태	날 생	과녁/어조사 적	(胎生的 限界)
泰然自若	태연자약	클 태	그럴 연	스스로 자	같을 약
太平聖代	태평성대	클 태	평평할 평	성인 성	대신할/시대 대
太平煙月	태평연월	클 태	평평할 평	연기 연	달 월
颱風	태풍	태풍 태	바람 풍		
笞刑	태형	볼기칠 태	형벌 형		
宅配	택배	집 택	나눌 배		
攄得	터득	펼 터	얻을 득	(要領을 攄得하다)	
討伐	토벌	칠 토	칠 벌	(倭寇討伐, 共匪討伐)	
土沙	토사	흙 토	모래 사		
兎死狗烹	토사구팽	토끼 토	죽을 사	개 구	삶을 팽
土壤	토양	흙 토	흙덩이 양	(土壤汚染)	
通涉型	통섭형	통할 통	건널 섭	모양 형	(通涉型 人材의 重要性)
統率	통솔	거느릴 통	거느릴 솔	(統率이 제대로 안된다)	
統帥權	통수권	거느릴 통	장수 수	권세/권력 권	(軍統帥權은 大統領의 權限)
統制機制	통제기제	거느릴 통	절제할/억제할 제	틀/권세 기	
洞察力	통찰력	골 동/밝을 통	살필 찰	힘 력(역)	
痛快	통쾌	아플/몹시 통	쾌할 쾌	(痛快한 勝利)	

統合	통합	거느릴 통	합할 합		
推敲	퇴고	밀 추/밀 퇴	두드릴 고	(推敲를 거듭하다)	
堆肥	퇴비	쌓을 퇴	살찔 비		
堆積	퇴적	쌓을 퇴	쌓을 적	(河口에 모래가 堆積되다)	
頹廢	퇴폐	무너질 퇴	폐할 폐	(頹廢風潮)	
透明	투명	사무칠 투	밝을 명		
投影圖	투영도	던질 투	그림자 영	그림 도	
透徹	투철	사무칠 투	통할 철	(透徹한 使命感)	
投票	투표	던질 투	표 표		
投降	투항	던질 투	내릴 강/항복할 항		
鬪魂	투혼	싸울 투	넋 혼	(不屈의 鬪魂을 發揮하다)	
特殊	특수	특별할 특	다를 수		
特典	특전	특별할 특	법/의식 전	(特別한 待遇)	
特徵	특징	특별할 특	부를 징		
特許出願	특허출원	특별할 특	허락할 허	날 출	원할 원
派遣	파견	갈래/보낼 파	보낼 견	(派遣勤勞者)	
破壞	파괴	깨뜨릴 파	무너질 괴		
波及	파급	물결 파	미칠 급	(波及效果)	
播多	파다	뿌릴 파	많을 다	(所聞이 播多하다)	
波瀾萬丈	파란만장	물결 파	물결 란	일만 만	어른/장 장
破廉恥漢	파렴치한	깨뜨릴 파	청렴할 렴(염)	부끄러울 치	한수/사나이 한
破門	파문	깨뜨릴 파	문 문		

派閥主義	파벌주의	갈래 파	문벌 벌	임금/주인 주	옳을 의
派兵	파병	갈래/보낼 파	병사 병		
破釜沈舟	파부침주	깨뜨릴 파	가마 부	잠길 침	배 주
破邪顯正	파사현정	깨뜨릴 파	간사할 사	나타날 현	바를 정
波狀攻擊	파상공격	물결 파	형상 상	칠 공	칠 격
破碎機	파쇄기	깨뜨릴 파	부술 쇄	틀/기계 기	
破顔大笑	파안대소	깨뜨릴 파	얼굴 안	큰 대	웃을 소
罷業	파업	마칠 파	업 업	(總/全面/部分/同盟 罷業)	
波長	파장	물결 파	길 장	(큰 波長을 일으키다)	
播種	파종	뿌릴 파	씨 종		
破竹之勢	파죽지세	깨뜨릴 파	대 죽	갈/어조사 지 형세 세	
破綻	파탄	깨뜨릴 파	터질 탄		
判檢事	판검사	판단할 판	검사할 검	일/벼슬 사	
判例	판례	판단할 판	법식 례(예)		
販賣	판매	팔 판	팔 매	(多段階販賣)	
板書	판서	널빤지 판	글 서	(漆板에 粉筆로 글을 쓰다)	
販促費	판촉비	팔 판	재촉할 촉	쓸 비	
八方美人	팔방미인	여덟 팔	모 방	아름다울 미 사람 인	
八不出	팔불출	여덟 팔	아닐 불	날 출	
敗家亡身	패가망신	패할 패	집 가	망할 망	몸 신
覇權	패권	으뜸 패	권세 권		
敗北	패배	패할 패	북녘 북/ 달아날 배	(반의어 勝利)	

佩用	패용	찰 패	쓸 용	(名札佩用)
膨脹主義	팽창주의	부를 팽	부를 창	주인 주	옳을 의
膨膨	팽팽	부를 팽	(皮膚가 膨膨하다)
偏見	편견	치우칠 편	볼 견
編曲	편곡	엮을 편	굽을/악곡 곡
鞭撻	편달	채찍 편	때릴 달	(指導鞭撻)
片鱗	편린	조각 편	비늘 린	(追憶의 片鱗들이 새삼 떠오른다)
便法	편법	편할 편	법 법	(便法運營)
便乘	편승	편할 편	탈 승	(時流에 便乘하다)
編輯	편집	엮을 편	모을 집
編纂	편찬	엮을 편	모을 찬
騙取	편취	속일 편	가질 취	(他人의 財産을 騙取하다)
偏頗的	편파적	치우칠 편	자못/치우칠 파	과녁 적	(偏頗判定)
偏狹	편협	치우칠 편	좁을 협
貶下	폄하	낮출 폄	아래 하	(老人貶下 發言)
平素	평소	평평할 평	본디/평소 소
平靜心	평정심	평평할 평	고요할 정	마음 심
平衡	평형	평평할 평	저울대 형	(平衡感覺)
閉經	폐경	닫을 폐	지날/월경 경
廢鑛	폐광	폐할 폐	쇳돌 광
廢棄	폐기	폐할 폐	버릴 기
弊端	폐단	폐단 폐	끝 단	(病弊)

幣帛	폐백	화폐 폐	비단 백	(幣帛飮食)
弊社	폐사	폐단 폐	모일 사	(vs 貴社)
閉鎖	폐쇄	닫을 폐	쇠사슬 쇄	(閉鎖恐怖)
弊習	폐습	폐단 폐	익힐/풍습 습	(弊習打破)
肺癌	폐암	허파 폐	암 암	
廢止	폐지	폐할 폐	그칠 지	
弊害	폐해	폐단 폐	해할 해	(弊端과 害惡)
廢墟	폐허	폐할 폐	터 허	(都市가 廢墟가 되었다)
捕鯨船	포경선	잡을 포	고래 경	배 선
抛棄	포기	던질 포	버릴 기	
捕虜	포로	잡을 포	사로잡을 로(노)	(捕虜交換, 捕虜送還, 反共捕虜釋放)
泡沫	포말	거품 포	물거품 말	
抱腹絶倒	포복절도	안을 포	배 복	끊을 절 넘어질 도
抱負	포부	안을 포	질 부	(높은 理想과 抱負)
褒賞	포상	기릴 포	상줄 상	(褒賞休暇)
包攝	포섭	쌀 포	당길 섭	(敵軍을 包攝하다)
飽食	포식	배부를 포	밥/먹을 식	(飽食暖衣)
捕食者	포식자	잡을 포	밥/먹을 식	놈 자 (vs 被食者)
抱擁	포옹	안을 포	낄/안을 옹	
包容	포용	쌀 포	얼굴/용납할 용	(包容力)
包圍	포위	쌀 포	에워쌀 위	(包圍網)
哺乳類	포유류	먹일 포	젖 유	무리 류(유)

鋪裝	포장	펼 포	꾸밀 장	(道路鋪裝)
包裝	포장	쌀 포	꾸밀 장	(膳物包裝)
布陣	포진	베/펼 포	진칠 진	
捕捉	포착	잡을 포	잡을 착	(機會를 捕捉하다)
砲火	포화	대포 포	불 화	
飽和	포화	배부를 포	화할 화	(飽和狀態)
捕獲	포획	잡을 포	얻을 획	
爆擊	폭격	터질 폭	칠 격	(猛爆擊, 爆擊機)
表具	표구	겉 표	갖출 구	(表具店, 表具舍)
慓毒	표독	급할/날랠 표	독 독	(慓毒스럽다)
漂流	표류	떠다닐 표	흐를 류(유)	
表裏不同	표리부동	겉 표	속 리(이)	아닐 부 한가지/같을 동
漂白	표백	떠다닐/표백 표	흰 백	
表示	표시	겉 표	보일 시	
標語	표어	표할/표 표	말씀 어	
標的	표적	표할 표	과녁 적	(標的搜查)
剽竊	표절	겁박할/훔칠 표	훔칠 절	(剽竊是非)
標準語	표준어	표할/표 표	준할 준	말씀 어
標識	표지	표할/표지 표	알 식/적을 지	(交通標識板)
表彰狀	표창장	겉 표	드러날 창	형상/문서 장 (表彰狀 授與式)
品格	품격	물건/품격 품	격식/인품 격	
稟議	품의	여쭐 품	의논할 의	(出張 稟議書를 올리다)

品切	품절	물건 품	끊을 절	(유의어 切品)	
風角牌	풍각패	바람 풍	뿔 각	패 패	
風紀紊亂	풍기문란	바람 풍	벼리 기	어지러울 문	어지러울 란(난)
風流	풍류	바람 풍	흐를 류(유)		
風靡	풍미	바람 풍	쓰러질 미	(一世風靡)	
風飛雹散	풍비박산	바람 풍	날 비	우박 박	흩을 산
風樹之歎	풍수지탄	바람 풍	나무 수	갈/어조사 지	탄식할 탄
風樂	풍악	바람/풍악 풍	노래 악	(風樂을 울려라)	
豊裕	풍유	풍년 풍	넉넉할 유	(= 豊饒)	
諷刺	풍자	풍자할 풍	찌를 자	(諷刺와 諧謔)	
風前燈火	풍전등화	바람 풍	앞 전	등 등	불 화
風塵	풍진	바람 풍	티끌 진	(風塵世上, 風塵歲月)	
風餐露宿	풍찬노숙	바람 풍	밥 찬	이슬 로(노)	잘 숙
風采	풍채	바람/풍채 풍	풍채 채	(風采가 좋다)	
被擊	피격	입을 피	칠 격	(KAL 被擊 事件)	
疲困	피곤	피곤할 피	곤할 곤		
披瀝	피력	헤칠 피	거를/토로할 력(역)	(心情을 披瀝하다)	
避雷針	피뢰침	피할 피	우레 뢰(뇌)	바늘 침	
被疑者	피의자	입을 피	의심할 의	놈 자	(被疑者 身分)
彼此一般	피차일반	저 피	이 차	한 일	일반 반
疲弊	피폐	피곤할 피	폐단 폐		
被害	피해	입을 피	해할 해	(被害復舊)	

匹夫匹婦	필부필부	짝/천한사람 필	지아비 부	며느리/지어미 부
逼迫	핍박	핍박할 핍	핍박할 박	
下賜	하사	아래 하	줄 사	(下賜品, 下賜金)
下石上臺	하석상대	아래 하	돌 석	위 상　　대 대
瑕疵	하자	허물 하	허물 자	(瑕疵審議)
虐待	학대	모질 학	기다릴/대접할 대	(兒童虐待)
鶴首苦待	학수고대	학 학	머리 수	애쓸/몹시 고　기다릴 대
閑暇	한가	한가할 한	틈 가	
漢江投石	한강투석	한수 한	강 강	던질 투　　돌 석
限量	한량	한할 한	헤아릴 량(양)	(기쁘기 限量없다)
寒露	한로	찰 한	이슬 로(노)	(24節氣, 秋分과 霜降 사이)
汗牛充棟	한우충동	땀 한	소 우	채울 충　　마룻대 동
限韓令	한한령	한할 한	한국 한	하여금/명령 령(영)　(限韓令 解除)
割賦	할부	벨 할	부세/줄 부	
陷沒	함몰	빠질 함	빠질 몰	(地震으로 建物이 陷沒되다)
含憤蓄怨	함분축원	머금을 함	분할 분	모을 축　　원망할 원
艦船	함선	큰배 함	배 선	
喊聲	함성	소리칠 함	소리 성	
函數	함수	지닐 함	셈 수	(函數關係)
涵養	함양	젖을 함	기를 양	(水源涵養林)
陷穽	함정	빠질 함	함정 정	(陷穽에 빠지다)
艦艇	함정	싸움배 함	배 정	(軍艦, 驅逐艦, 魚雷艇, 掃海艇 等의 總稱)

含蓄的	함축적	머금을 함	모을 축	과녁/어조사 적
含哺鼓腹	함포고복	머금을 함	먹일 포	북 고　　　배 복
咸興差使	함흥차사	다 함	일으킬 흥	보낼 차　　벼슬이름 사
合從連橫	합종연횡	합할 합	좇을 종	잇닿을 련(연) 가로 횡
合竹扇	합죽선	합할 합	대 죽	부채 선
抗拒	항거	겨룰 항	막을 거	(獨裁에 抗拒하다)
航空母艦	항공모함	배 항	빌/공중 공	어미 모　　큰배 함
港灣	항만	항구 항	물굽이 만	
肛門	항문	항문 항	문 문	(anus)
降伏	항복	내릴 강/ 항복할 항	엎드릴 복	
恒常性	항상성	항상 항	항상 상	성품/성질 성 (homeostasis, constancy)
抗生劑	항생제	겨룰 항	날 생	약제 제　(mycin)
抗訴	항소	겨룰 항	호소할/ 고소할 소	(上訴: 抗訴(1->2審), 上告(2->3審))
亢進	항진	높을 항	나아갈 진	(甲狀腺亢進症)
解渴	해갈	풀 해	목마를 갈	
解雇	해고	풀 해	품팔 고	(不當解雇)
偕老同穴	해로동혈	함께 해	늙을 로(노)	한가지/같을　구멍 혈 동
該博	해박	갖출/넓을 해	넓을 박	(該博한 知識)
海溢	해일	바다 해	넘칠 일	(海溢警報, 地震海溢)
懈怠	해태	게으를 해	게으를 태	(유의어 怠慢)
海峽	해협	바다 해	골짜기 협	
核武器	핵무기	씨 핵	호반 무	그릇 기　　(核抑止力)

行方不明	행방불명	다닐 행	모/방위 방	아닐 불	밝을 명
享年	향년	누릴 향	해 년(연)	(그는 享年 86歲로 別世했다)	
許諾	허락	허락할 허	허락할 낙		
虛浪放蕩	허랑방탕	빌 허	물결 랑(낭)	놓을 방	방탕할 탕
虛心坦懷	허심탄회	빌 허	마음 심	평탄할 탄	품을 회
虛張聲勢	허장성세	빌 허	베풀 장	소리 성	형세 세
虛虛實實	허허실실	빌 허	열매 실		
虛荒	허황	빌 허	거칠 황	(虛荒된 꿈을 찾아서 彷徨하다)	
獻額	헌액	드릴 헌	이마/현판 액	(名譽의 殿堂에 獻額되다)	
獻呈	헌정	드릴 헌	드릴 정	(獻呈曲)	
軒軒丈夫	헌헌장부	집 헌	어른 장	지아비/사내 부	
玄關	현관	검을/통할 현	관계할 관	(玄關에 들어서다)	
眩氣症	현기증	어지러울 현	기운 기	증세 증	
懸賞金	현상금	달 현	상줄 상	쇠 금	
懸垂幕	현수막	달 현	드리울 수	장막 막	(懸板)
顯著	현저	나타날 현	나타날 저		
現札	현찰	나타날 현	편지/패 찰	(vs 手票)	
懸濁液	현탁액	달 현	흐릴 탁	진 액	(suspension)
懸河之辯	현하지변	달 현	물 하	갈/어조사 지	말씀 변
眩惑	현혹	어지러울 현	미혹할 혹		
血糖	혈당	피 혈	엿 당		
孑孑單身	혈혈단신	외로울 혈	홀 단	몸 신	

嫌惡	혐오	싫어할 혐	악할 악/ 미워할 오	(嫌惡犯罪)
嫌疑者	혐의자	싫어할/ 의심할 혐	의심할 의	놈 자
狹量	협량	좁을 협	헤아릴 량(양)	
脅迫	협박	위협할 협	핍박할 박	(恐喝脅迫)
挾雜	협잡	낄 협	섞일 잡	(유의어 挾作)
協贊	협찬	도울 협	도울 찬	
螢光燈	형광등	반딧불 형	빛 광	등 등
螢雪之功	형설지공	반딧불 형	눈 설	갈/어조사 지 공 공
亨通	형통	형통할 형	통할 통	(萬事亨通)
形便	형편	모양 형	편할 편	
形骸化	형해화	모양 형	뼈 해, 될 화	(形式만 있고 價値나 意味는 없음)
形形色色	형형색색	모양 형	빛 색	
彗星	혜성	비/살별 혜	별 성	(彗星처럼 나타난 新人)
慧眼	혜안	슬기로울 혜	눈 안	
惠存	혜존	은혜 혜	있을/보존할 존	(自己의 著書를 드릴 때 쓰는 말)
惠澤	혜택	은혜 혜	못/덕택 택	
狐假虎威	호가호위	여우 호	거짓 가	범 호 위엄 위
糊口之策	호구지책	풀칠할 호	입 구	갈/어조사 지 꾀 책
護國英靈	호국영령	보호할 호	나라 국	꽃부리 영 신령 령(영)
好奇心	호기심	좋을 호	기특할/ 기이할 기	마음 심
糊塗	호도	풀칠할 호	칠할 도	(유의어 撫摩)

胡亂	호란	되/오랑캐 이름 호	어지러울 란(난)	(vs 倭亂)	
號令	호령	이름/부르짖 을 호	하여금/ 명령 령(영)	(天下를 號令하다)	
號俸制	호봉제	이름/차례 호	녹 봉	절제할/지을 제	(年功序列)
呼父呼兄	호부호형	부를 호	아비 부	형 형	
豪奢	호사	호걸 호	사치할 사	(豪奢를 누리다)	
好事多魔	호사다마	좋을 호	일 사	많을 다	마귀 마
呼訴	호소	부를 호	호소할 소	(呼訴力 짙은 重低音)	
虎視牛步	호시우보	범 호	볼 시	소 우	걸음 보
虎視眈眈	호시탐탐	범 호	볼 시	노려볼 탐	
豪言壯談	호언장담	호걸 호	말씀 언	장할 장	말씀 담
浩然之氣	호연지기	넓을 호	그럴 연	갈/어조사 지	기운 기
豪雨	호우	호걸/성할 호	비 우	(集中豪雨)	
護衛武士	호위무사	도울/지킬 호	지킬 위	호반 무	선비/군사 사
呼應	호응	부를 호	응할 응		
好衣好食	호의호식	좋을 호	옷 의	밥/먹을 식	
戶籍	호적	집 호	문서 적		
號牌	호패	이름 호	패 패		
呼兄呼弟	호형호제	부를 호	형 형	아우 제	
豪華	호화	호걸/사치 호	빛날/화려할 화	(豪華奢侈風潮)	
虎患媽媽	호환마마	범 호	근심 환	어머니 마	(마마: 天然痘)
呼吸	호흡	부를 호	마실 흡	(人工呼吸)	

惑世誣民	혹세무민	미혹할 혹	인간 세	속일 무	백성 민
或是	혹시	혹 혹	이 시		
酷評	혹평	심할 혹	평할 평	(絶讚의 반의어)	
混沌	혼돈	섞을 혼	엉길 돈	(混沌의 時代)	
魂飛魄散	혼비백산	넋 혼	날 비	넋 백	흩을 산
昏睡狀態	혼수상태	어두울 혼	졸음 수	형상 상	모습 태
渾身	혼신	흐릴/모두 혼	몸 신	(渾身의 힘을 다해)	
渾然一體	혼연일체	흐릴/모두 혼	그럴 연	한 일	몸 체
婚姻憑藉姦淫	혼인빙자간음	혼인할 혼, 혼인 인	기댈 빙, 깔 자	간사할 간	음란할 음
混雜	혼잡	섞을 혼	섞일 잡	(交通混雜稅)	
混戰	혼전	섞을 혼	싸움 전		
昏定晨省	혼정신성	어두울 혼	정할 정	새벽 신	살필 성
混潮勢	혼조세	섞을 혼	밀물/조수 조	형세 세	(證市 混潮勢로 마감)
混濁	혼탁	섞을 혼	흐릴 탁	(混濁選擧)	
混合物	혼합물	섞을 혼	합할 합	물건 물	
忽待	홀대	갑자기/소홀히할 홀	기다릴/대접할 대	(반의어 歡待)	
紅爐點雪	홍로점설	붉을 홍	화로 로(노)	점 점	눈 설
弘報	홍보	클/넓을 홍	알릴 보	(弘報物)	
洪水	홍수	클 홍	물 수	(洪水警報)	
弘益人間	홍익인간	클 홍	더할 익	사람 인	사이 간
紅一點	홍일점	붉을 홍	한 일	점 점	(반의어 青一點)
和氣靄靄	화기애애	화할 화	기운 기	아지랑이 애	

畫龍點睛	화룡점정	그림 화	용 룡(용)	점찍을 점	눈동자 정
和睦	화목	화할/화목할 화	화목할 목	(家族 間의 和睦이 가장 重要)	
花無十日紅	화무십일홍	꽃 화	없을 무	열 십, 날 일	붉을 홍
華奢	화사	빛날/화려할 화	사치할 사	(華奢한 봄옷을 입었다)	
畫蛇添足	화사첨족	그림 화	긴뱀 사	더할 첨	발 족
化石燃料	화석연료	될 화	돌 석	탈 연	헤아릴/재료 료
花樣年華	화양연화	꽃 화	모양 양	해 년(연)	빛날 화
火焰	화염	불 화	불꽃 염	(火焰에 검게 그을린 建物)	
花容月態	화용월태	꽃 화	얼굴 용	달 월	모습 태
和議	화의	화할 화	의논할 의		
畫中之餠	화중지병	그림 화	가운데 중	갈/어조사 지	떡 병
和暢	화창	화할 화	화창할 창	(어느 和暢한 봄날)	
華燭	화촉	빛날 화	촛불 촉		
花卉	화훼	꽃 화	풀 훼	(花卉團地)	
擴大	확대	넓힐 확	큰 대		
確率	확률	굳을 확	거느릴 솔/비율 률(율)		
確認	확인	굳을 확	알 인		
擴張	확장	넓힐 확	베풀/넓힐 장	(擴張抑制)	
確證偏向	확증편향	굳을 확	증거 증	치우칠 편	향할 향
還甲	환갑	돌아올 환	갑옷/첫째천간 갑	(回甲, 耳順)	
環境	환경	고리 환	지경 경	(環境汚染)	
還穀	환곡	돌아올 환	곡식 곡	(朝鮮時代 三政의 하나)	

換骨奪胎	환골탈태	바꿀 환	뼈 골	빼앗을 탈	아이밸 태
鰥寡孤獨	환과고독	환어/홀아버지 환	적을 과	외로울 고	홀로 독
患難相恤	환난상휼	근심 환	어려울 난	서로 상	불쌍할/구휼할 휼
還付	환부	돌아올 환	줄 부	(= 還給)	
幻想	환상	헛보일 환	생각 상		
歡心	환심	기쁠 환	마음 심	(膳物로 歡心을 求하다)	
丸藥	환약	알 환	약 약	(유의어 顆粒, 顆粒劑)	
歡迎	환영	기쁠 환	맞을 영		
還元	환원	돌아올 환	으뜸/처음 원	(株主還元)	
換率	환율	바꿀 환	거느릴 솔/비율 률(율)		
換腸	환장	바꿀 환	창자 장	(換腸之境)	
滑手	활수	미끄러울 활	손 수	(씀씀이가 워낙 滑手하다)	
闊葉	활엽	넓을 활	잎 엽	(闊葉樹)	
黃金萬能	황금만능	누를 황	쇠 금	일만 만	능할 능
遑急	황급	급할 황	급할 급		
荒凉	황량	거칠 황	서늘할 량(양) (유의어 荒漠)		
慌忙	황망	어리둥절할 황	바쁠 망		
荒蕪地	황무지	거칠 황	거칠 무	땅 지	(荒蕪地 開墾)
荒廢化	황폐화	거칠 황	폐할 폐	될 화	
恍惚境	황홀경	황홀할 황	황홀할 홀	지경 경	
皇后	황후	임금 황	임금 후	(皇帝의 正室夫人)	

回顧	회고	돌아올 회	돌아볼 고					
繪事後素	회사후소	그림 회	일 사	뒤 후	힐 소			
懷柔策	회유책	품을 회	부드러울 유	꾀 책				
懷疑	회의	품을 회	의심할 의					
懷妊	회임	품을 회	아이밸 임	(유의어 妊娠)				
膾炙人口	회자인구	회 회	구울 자	사람 인	입 구			
會者定離	회자정리	모일 회	놈 자	정할 정	떠날 리(이)			
回轉	회전	돌아올 회	구를 전					
懷抱	회포	품을 회	안을 포	(그동안의 懷抱를 풀다)				
回避	회피	돌아올 회	피할 피					
悔恨	회한	뉘우칠 회	한 한					
劃期的	획기적	그을 획	기약할/기간 기	과녁/어조사 적				
獲得	획득	얻을 획	얻을 득					
劃順	획순	그을 획	순할/차례 순	(漢字劃順)				
劃策	획책	그을 획	꾀 책	(國論分裂을 劃策하다)				
橫斷步道	횡단보도	가로 횡	끊을 단	걸음 보	길 도			
橫說竪說	횡설수설	가로/제멋대로 횡	말씀 설	세울 수				
橫暴	횡포	가로/제멋대로 횡	사나울 폭(포)					
橫行介士	횡행개사	가로 횡	다닐 행	낄 개	선비 사			
酵素	효소	삭힐 효	본디/성질 소	(消化酵素)				
候補	후보	기후/기다릴 후	기울 보	(노벨賞 候補)				
後嗣	후사	뒤 후	이을 사	(後嗣가 없어 養子를 들이다)				

後生可畏	후생가외	뒤 후	날/살 생	옳을/가히 가	두려워할 외
厚顔無恥	후안무치	두터울 후	얼굴 안	없을 무	부끄러울 치
後裔	후예	뒤 후	후손 예	(유의어 後孫)	
後援金	후원금	뒤 후	도울 원	쇠 금	(篤志家의 後援金으로 運營)
後悔莫及	후회막급	뒤 후	뉘우칠 회	없을 막	미칠 급
訓戒	훈계	가르칠 훈	경계할 계	(父母님의 訓戒)	
訓練	훈련	가르칠 훈	익힐 련(연)		
勳章	훈장	공 훈	글/표징 장	(武功勳章)	
燻製	훈제	연기낄 훈	지을 제	(燻製구이)	
薰風	훈풍	향초 훈	바람 풍	(그윽한 오뉴월의 薰風)	
訓話	훈화	가르칠 훈	말씀 화	(校長 先生님의 訓話)	
毁謗	훼방	헐 훼	헐뜯을 방		
毁損	훼손	헐 훼	덜/해칠 손		
徽章	휘장	아름다울 휘	글/표징 장	(戰功徽章)	
揮毫	휘호	휘두를 휘	터럭/붓 호		
輝煌燦爛	휘황찬란	빛날 휘	빛날 황	빛날 찬	빛날 란(난)
携帶	휴대	이끌/들 휴	띠 대	(携帶電話)	
胸襟	흉금	가슴 흉	옷깃/생각 금	(胸襟을 털어놓다)	
胸像	흉상	가슴 흉	모양 상		
凶惡無道	흉악무도	흉할 흉	악할 악	없을 무	길/도리 도
凶惡犯	흉악범	흉할 흉	악할 악	범할 범	

黑猫白猫	흑묘백묘	검을 흑	고양이 묘	흰 백	(덩샤오핑의 經濟政策)
黑白論理	흑백논리	검을 흑	흰 백	논할 론(논)	다스릴 리(이)
痕跡	흔적	흔적 흔	발자취 적	(= 痕迹)	
欣快	흔쾌	기쁠 흔	쾌할 쾌	(欣快히 承諾하다)	
欠缺	흠결	하품 흠	이지러질 결		
吸收	흡수	마실 흡	거둘 수	(반의어 放出, 排出)	
興亡盛衰	흥망성쇠	일 흥	망할 망	성할 성	쇠할 쇠
興味津津	흥미진진	일 흥	맛 미	나루/넘칠 진	
興奮	흥분	일 흥	떨칠 분		
興盡悲來	흥진비래	일 흥	다할 진	슬플 비	올 래(내)
戱曲	희곡	놀 희	굽을/악곡 곡	(演劇臺本)	
喜怒哀樂	희로애락	기쁠 희	성낼 노	슬플 애	노래 악/즐길 락(낙)
犧牲	희생	희생 희	희생 생	(犧牲羊)	
稀釋效果	희석효과	드물/매우 희	풀/놓을 석	본받을/보람 효	실과/결과 과
稀少	희소	드물 희	적을 소	(稀少價値)	
喜悅	희열	기쁠 희	기뻐할 열	(반의어 憤怒, 忿怒)	
稀土類	희토류	드물 희	흙 토	무리 류(유)	
戱畫化	희화화	놀 희	그림 화	될 화	
喜喜樂樂	희희낙락	기쁠 희	노래 악/즐길 락(낙)		
詰責	힐책	물을/꾸짖을 힐	꾸짖을 책	(유의어 罵倒)	

제3장 둘 이상의 훈/음을 가진 한자

可	가	옳다	가히		
家	가	집	전문가	학자	
嫁	가	시집가다	떠넘기다		
假	가	거짓	임시, 일시	빌리다	빌려주다
閣	각	집	내각		
却	각	물리치다	물러나다		
脚	각	다리	밟다		
刻	각	새기다	시간	때, 시각	
干	간	방패	간여하다		
幹	간	줄기	재능		
簡	간	대쪽	편지	간략하다	
喝	갈	꾸짖다	고함치다, 외치다		
監	감	보다	살피다	감옥	
鑑	감	거울	살피다		
甲	갑	갑옷	첫째	첫째 천간(天干)	
降	강/항	내릴 강	항복할 항		
講	강	외우다	강론하다	연구하다	화해하다
槪	개	대개	절개		
介	개	끼다	강직하다		
芥	개	겨자	작은 풀		
去	거	가다	버리다		
乾	건	하늘	마르다		

格	격	격식	인품		
擊	격	치다	마주치다		
見	견/현	볼 견	뵈올 현		
訣	결	이별하다	비결		
頃	경	이랑	잠깐		
經	경	지나다	날(실), 경서	경영하다	월경
梗	경	줄기	막히다		
境	경	지경	경우		
憬	경	깨닫다	동경하다		
警	경	경계하다	깨우치다		
更	경/갱	고칠 경	다시 갱		
計	계	세다	꾀하다		
系	계	매다	잇다		
啓	계	열다	일깨워주다		
苦	고	쓰다	괴롭다	애쓰다	몹시
姑	고	시어머니	잠시		
故	고	연고	옛, 죽은 사람	일부러	사건
枯	고	마르다	시들다		
稿	고	볏짚	원고		
鵠	곡	고니	과녁		
曲	곡	굽다	악곡	가락	
昆	곤	맏, 형	벌레		
棍	곤	몽둥이	건달		

工	공	장인	일, 만드는 일	인공(人工)	
空	공	비다	하늘	공중	
共	공	한가지	함께		
公	공	공평하다	공변되다	공적인 것	존칭
過	과	지나다	지나치다	잘못	
課	과	공부하다	매기다		
瓜	과	오이	익다		
果	과	실과	과실	결과	과감하다
寡	과	적다	과부		
管	관	대롱	주관하다		
恝	괄	근심이 없다	푸대접하다		
壞	괴	무너지다	무너뜨리다	파괴하다	
校	교	학교	교정하다		
敎	교	가르치다	종교		
拘	구	잡다	거리끼다		
咎	구	허물	꾸짖다	책망하다	비난하다
局	국	판(장기, 바둑)	관청	구분, 구획	
君	군	임금	남편	군자	
軍	군	군사	군대		
窮	궁	다하다	궁하다		
圈	권	우리	구역		
捲	권	거두다	말다		
卷	권	책	말다		

權	권	권세	권리		
闕	궐	대궐	이지러지다		
蹶	궐	넘어지다	일어서다		
歸	귀	돌아가다	돌아오다		
奎	규	별, 별의 이름	글, 文章		
規	규	법	바로잡다		
糾	규	얽히다	모으다	규명하다	조사하다
菌	균	버섯	세균		
劇	극	심하다	연극		
金	금/김	쇠 금	돈 금	성씨 김	
襟	금	옷깃	마음, 생각		
肯	긍	즐기다	수긍하다		
矜	긍	자랑하다	불쌍히 여기다		
起	기	일어나다	(일을)시작하다	일으키다	
氣	기	기운	공기	기후	
幾	기	조짐	기미	몇	어찌
寄	기	부치다	이르다	기대다	
奇	기	기특하다	기이하다	뛰어나다	몰래, 느닷없이
己	기	몸	자기		
忌	기	꺼리다	기일(조상이 죽은 날)		
杞	기	구기자	나라 이름		
機	기	틀, 기계	재치	때, 계기, 기회	권세, 비밀
期	기	기약하다	기간		

器	기	그릇, 도량	재능, 인재	기관(器官)	도구
緊	긴	긴하다	굳다	급박하다	긴축하다
難	난	어렵다	힐난하다		
納	납	들이다	납부하다		
茶	다/차	차 다	차 차		
團	단	둥글다	모이다	통솔하다	단체, 집단
單	단	홑	單子(物目을 적은 종이)		
斷	단	끊다	결단하다	판결하다	
達	달	통달하다	이르다, 전하다	갖추다	방자하다
淡	담	맑다	싱겁다	담백하다, 담담하다	묽다
譚	담	크다	이야기		
膽	담	쓸개	담력		
堂	당	집	당당하다		
當	당	마땅(하다)	저당(하다)	갚음, 보수	
唐	당	당나라	당황하다		
待	대	기다리다	대접하다		
代	대	대신하다	시대		
臺	대	대	무대		
德	덕	크다	덕		
都	도	도읍	모두	아아(감탄사)	
徒	도	무리	헛되이	걷다	맨손
道	도	길	도리, 방법	기예, 기술	말하다
度	도	법도	자	도, 도수	정도

圖	도	그림, 그리다	꾀하다, 도모하다		
陶	도	질그릇	和樂하다		
倒	도	넘어지다	거꾸로	넘어뜨림	
盜	도	도둑	도둑질	훔치다	
篤	독	도탑다	위독하다		
督	독	감독하다	재촉하다		
瀆	독	도랑	더럽히다		
頓	돈	조아리다	갑자기		
同	동	한가지	함께	같다	
胴	동	큰창자, 大腸	몸통		
洞	동/통	골 동	고을 동	밝을 통	
董	동	바로잡다	거두다, 깊이 간직하다		
斗	두	말	별 이름		
鈍	둔	둔하다	무디다		
遁	둔	달아나다	숨다	속이다	
等	등	무리	등급		
羅	라(나)	그물	벌이다		
落	락(낙)	떨어지다	이루다	준공하다	마을
絡	락(낙)	잇다	줄, 고삐		
爛	란(난)	빛나다	문드러지다		
濫	람(남)	넘치다	지나치다	부실하다	
略	략(약)	다스리다	간략하다, 줄이다	약탈하다	꾀, 모략
諒	량(양)	참되다	믿다	살피다, 살펴 알다	

戾	려(여)	어그러지다	거스르다	돌려주다
瀝	력(역)	거르다	나타내다, 토로하다	
轢	력(역)	짓밟다	삐걱거리다	
攣	련(연)	걸리다	경련하다	
烈	렬(열)	세차다	맵다	불사르다
廉	렴(염)	청렴하다	살피다	
令	령(영)	하여금	명령(하다)	
零	령(영)	떨어지다	영(숫자 0)	
領	령(영)	옷깃	거느리다	받다
勞	로(노)	일하다	힘들이다	근심하다 위로하다
露	로(노)	이슬	드러나다, 드러내다	
壚	로(노)	흑토	목로, 술집	
鹵	로(노)	소금	노략질하다	
賴	뢰(뇌)	의뢰하다	의지하다	
料	료(요)	헤아리다	값	거리(재료)
累	루(누)	묶다	여러	
勒	륵(늑)	굴레	억누르다	강요하다, 강제하다
里	리(이)	마을	리(거리 단위)	
理	리(이)	다스리다	도리	
李	리(이)	오얏	성씨	
利	리(이)	날카롭다	이롭다	이익 이자
臨	림(임)	임하다	다스리다, 통치하다	
摩	마	문지르다	갈다	

漢字	음	뜻1	뜻2	뜻3	뜻4
寞	막	고요하다	쓸쓸하다		
慢	만	거만하다	게으르다	느리다	
漫	만	질펀하다	흩어지다		
亡	망	망하다	잃다		
罔	망	그물	없다	속이다	
邁	매	멀리 가다	힘쓰다, 노력하다		
脈	맥	맥	줄기		
孟	맹	맏	맹자	맹랑하다	
命	명	목숨, 생명	運數, 運命	표적	명령
冥	명	어둡다	저승		
模	모	法, 法式, 本	본뜨다	모양	모호하다
摸	모	본뜨다	찾다		
毛	모	터럭	식물		
冒	모	무릅쓰다	덮다, 씌우다, 쓰다	침범하다	쓰개, 모자
目	목	눈	제목, 표제	목록	우두머리
沒	몰	빠지다	빼앗다	숨다	
蒙	몽	(사리에)어둡다	무릅쓰다	덮다	
文	문	글월	문서		
物	물	물건	만물		
彌	미	미륵(彌勒)	두루, 널리	깁다, 꿰매다	
憫	민	불쌍히 여기다	근심하다, 민망하다		
密	밀	빽빽하다	비밀		
朴	박	나무의 껍질	성(姓)의 하나	순박하다	소박하다

迫	박	핍박하다	다그치다	급하다	다가오다
搏	박	두드리다	치다		
薄	박	엷다	야박하다	경박하다	
半	반	반	한창	가장	
拔	발	뽑다	빼어나다	뛰어나다	
發	발	피다, 쏘다	일어나다, 떠나다	출발하다, 드러내다	행하다, 파다
撥	발	다스리다	(방향을)돌리다		
彷	방	헤매다	비슷하다		
方	방	모, 네모	처방	방위, 방향	바야흐로
配	배	나누다	짝	귀양 보내다	
白	백	희다	아뢰다		
繁	번	번성하다	많다	바쁘다	
範	범	법, 규범	본보기, 모범	한계	본받다
法	법	법	본받다		
僻	벽	궁벽하다	후미지다		
辯	변	말씀	변론하다		
辨	변	분별하다	변론하다		
變	변	변하다	변고	재앙, 재난	
別	별	다르다	나누다		
柄	병	자루	잡다, 장악하다		
報	보	갚다	알리다		
本	본	근본	책, 문서		
服	복	옷	좇다	복종하다, 항복하다	(약)먹다

復	복/부	회복할 복	갚을 복	되풀이할 복	다시 부
婦	부	며느리	지어미	아내	여자
府	부	마을	관청		
負	부	(짐을)지다	패하다		
夫	부	지아비	사내		
付	부	주다	부탁하다		
附	부	붙다	붙이다	주다	
符	부	부호	증거, 증표	부적	公文
賦	부	부세	주다		
部	부	떼	분류, 구분	분야	부서
簿	부/박	장부 부	얇을 박		
北	북/배	북녘 북	달아날 배	패할 배	
分	분	나누다	분수	시간 단위	
粉	분	가루	(분을)바르다, 化粧하다		
佛	불	부처	비슷하다		
拂	불	떨치다	(값을)치르다		
費	비	쓰다	비용		
備	비	갖추다	준비하다		
非	비	아니다	비방하다		
蜚	비	바퀴	날다		
瀕	빈	물가	가깝다		
聘	빙	부르다	장가들다		
辭	사	말씀	사양하다	사퇴하다	
復	복/부	회복할 복	갚을 복	되풀이할 복	다시 부

士	사	선비	군사	사내	직업의 이름
仕	사	섬기다	살피다, 밝히다		
事	사	일	섬기다	벼슬	
師	사	스승	전문적인 기예를 닦은 사람		
司	사	맡다	벼슬	관아(官衙)	
使	사	하여금	부리다		
斯	사	이, 이것	천하다		
朔	삭	초하루	북녘		
産	산	낳다	재산, 자산		
殺	살/쇄	죽일 살	빠를 쇄		
森	삼	수풀	삼엄하다		
霎	삽	가랑비	잠시, 잠깐		
傷	상	다치다	해치다		
象	상	코끼리	모양		
尙	상	오히려	아직	숭상하다	
相	상	서로	모양, 형상	정승	
床	상	평상	상		
狀	상/장	형상 상	문서 장		
塞	새/색	변방 새	성채 새	막힐 색	막을 색
色	색	빛	낯, 얼굴빛		
索	색/삭	찾을 색	노 삭	쓸쓸할 삭	
生	생	나다	살다	서투르다	사람
庶	서	여러	서출		

序	서	차례	서문		
敍	서	차례	펴다	주다	베풀다
釋	석	풀다	놓아주다		
善	선	착하다	좋다	잘하다	옳게 여기다
先	선	먼저	앞		
選	선	가리다	뽑다		
宣	선	베풀다	펴다, 널리 퍼뜨리다		
繕	선	깁다	고치다, 수선하다		
說	설/세/열	말씀 설	달랠 세	기쁠 열	
設	설	베풀다	세우다		
閃	섬	엿보다	번쩍이다		
性	성	성품	성질	성별	
城	성	재(높은 山의 고개)	성		
省	성/생	살필 성	덜 생	줄일 생	
世	세	인간	세상	세대(世代)	
少	소	적다	젊다		
消	소	사라지다	소모하다	소식	
銷	소	녹이다	녹다	사라지다	쇠(衰)하다
素	소	본디, 성질	희다	평소	質朴하다
疏	소	소통하다	성기다, 멀다	상소하다	소원하다
訴	소	호소하다	하소연하다	고소하다	
所	소	바	곳, 장소		
損	손	덜다, 줄이다	잃다	해치다, 상하게 하다	

率	솔/률(율)	거느릴 솔	소탈할/솔직할 솔	경솔할 솔	비율 률(율)
秀	수	빼어나다	무성하다		
修	수	닦다	고치다	다스리다	
首	수	머리	칼자루	자백하다, 자수하다	
遂	수	드디어	이루다		
手	수	손	사람		
樹	수	나무	(수목을)심다		
羞	수	부끄러워하다	음식		
收	수	거두다	잡다, 체포하다		
宿	숙	(잠을)자다	묵다, 오래되다		
熟	숙	익다	곰곰이		
順	순	순하다	순응하다	차례, 순서	
述	술	펴다	(글을)짓다	말하다	
術	술	재주, 꾀	마음씨	계략	술수
瑟	슬	큰거문고	비파		
襲	습	엄습하다	인습하다	물려받다	
習	습	익히다	습관	풍습	
承	승	잇다	받들다		
是	시	이, 이것	옳다	바로잡다	
時	시	때	철, 계절	시세	때마다, 늘
始	시	비로서	처음, 시초(始初)		
施	시	베풀다	실시하다		
食	식	밥	먹다		

息	식	쉬다	자식		
式	식	법	의식	형상	
識	식/지/치	알 식	적을 지	표지(標識) 지	깃발 치
信	신	믿다	확실히		
神	신	귀신	정신, 혼		
失	실	잃다	실수	잘못	
實	실	열매	사실	실행하다	
心	심	마음	심장	가슴	中央, 中心
阿	아	언덕	아첨하다		
訝	아	맞이하다	의심하다	의아하다	
樂	악/락/요	노래 악	즐길 락(낙)	좋아할 요	
惡	악/오	악할 악	미워할 오	어찌 오	
案	안	책상	생각	안건	초안
按	안	누르다	당기다	살피다, 생각하다	
昂	앙	밝다	높다		
涯	애	물가	끝, 한계	방면	
額	액	이마	현판, 액자	액수	
野	야	들	등한(等閑)하다	비천(卑賤)하다	
約	약	맺다	약속, 조약		
養	양	기르다	봉양하다	치료하다	
洋	양	큰바다	서양		
揚	양	날리다	오르다, 올리다		
讓	양	사양하다	넘겨주다		

瘍	양	헐다	종기		
御	어	거느리다	임금		
業	업	업	일, 직업		
與	여	더불다	주다		
輿	여	수레	마주 들다	많다	
餘	여	남다	넉넉하다		
易	역/이	바꿀 역	쉬울 이		
譯	역	번역하다	풀이하다	나타내다	
延	연	끌다	늘이다		
涅	열	개흙	열반		
葉	엽	잎	시대, 세대		
營	영	경영하다	짓다		
影	영	그림자	초상(肖像)		
豫	예	미리	머뭇거리다, 망설이다		
伍	오	다섯 사람	대오(隊伍), 대열(隊列)		
吳	오	성씨	오나라		
緩	완	느리다	느슨하다	늦추다	부드럽다
撓	요	어지럽다	어지럽히다	휘다	흔들리다
遙	요	멀다	거닐다	(정처 없이)떠돌다, 소요(逍遙)하다	
擁	옹	끼다	안다		
容	용	얼굴	용납하다	받아들이다	속내
庸	용	떳떳하다	어리석다		
偶	우	짝	인형	허수아비	우연

遇	우	만나다	대우(하다)	예우(하다)	때, 기회
優	우	넉넉하다	뛰어나다	배우	
宇	우	집	하늘		
運	운	옮기다	운/운수	(好運: 좋은 운수)	
原	원	언덕	근원		
元	원	으뜸	처음, 시초	근본	
越	월	넘다	월나라		
違	위	어긋나다	어기다		
爲	위	하다	되다	위하다	
癒	유	(병이)낫다	병들다		
悠	유	멀다	한가하다		
游	유	헤엄치다	여행하다		
遺	유	남기다	버리다		
維	유	벼리	지탱하다		
由	유	말미암다	행하다		
猶	유	오히려	원숭이	망설이다	
潤	윤	(물에)불다	윤택하다		
絨	융	가는 베	융(絨: 솜털이 일어나게 짠 피륙)		
義	의	옳다	뜻, 의미	인공적인 것	가짜
儀	의	거동	법도	법식	선물
議	의	의논(하다)	의견	주장	
衣	의	옷	웃옷		
依	의	의지하다	전과 같다		

意	의	뜻	생각		
忍	인	참다	잔인하다		
人	인	사람	타인		
認	인	알다	인정하다		
咽	인/열	목구멍 인	목멜 열		
印	인	도장	찍다	간행하다	
日	일	날	해		
任	임	맡기다	맡다	일, 책무	
賃	임	품삯	세내다		
子	자	아들, 남자	사람	첫째 지지(地支)	
自	자	스스로	~서부터		
恣	자	마음대로	제멋대로	방자하다	
酌	작	술을 붓다	헤아리다		
作	작	짓다	행하다	일어나다	
殘	잔	잔인하다	해치다	남다	
丈	장	어른	장인, 장모	장(길이, 열 자)	
壯	장	장하다	굳세다	씩씩하다	
將	장	장수	장차	나아가다	
長	장	길다	어른	우두머리	늘, 항상
莊	장	엄하다	전장(田莊)		
帳	장	휘장	장막	장부	
章	장	글	표징	표지	
張	장	베풀다	성씨	넓히다	

掌	장	손바닥	맡다, 主管하다		
裝	장	꾸미다	넣다		
藏	장	감추다	숨다, 숨기다	품다, 지키다	묻다
材	재	재목(材木)	재료(材料), 원료(原料)		
載	재	싣다	해, 년(年)		
狙	저	원숭이	노리다		
抵	저	막다	거스르다		
敵	적	대적하다	원수		
赤	적	붉다	벌거벗다		
的	적	과녁	어조사		
摘	적	따다	들추어내다		
賊	적	도둑	역적		
績	적	길쌈하다	공적	성과	
顚	전	엎드러지다	근본		
典	전	법	책	예, 의식	
電	전	번개	전기		
傳	전	전하다	전기(傳記)		
節	절	마디	절개	철, 절기, 행사	절약/ 절제하다
絶	절	끊다	매우	극도에 이르다	
切	절	끊다	갈다	매우	
占	점	점치다	점령하다		
點	점	점, 점찍다	세다, 점검하다	물방울	불 붙이다, 켜다
正	정	바르다	정월(正月)	가운데	

程	정	한도	길	나타내다, 드러내다	
精	정	정하다	정액	요정	정령
情	정	뜻	사랑	사정	욕망
貞	정	곧다	정절	정조	
停	정	머무르다	멈추다	중지하다	
制	제	절제하다	억제하다, 금하다	짓다	법도, 규정
際	제	사귀다	즈음		
提	제	끌다	제시하다		
條	조	가지	조목		
調	조	고르다	가락		
兆	조	조	조짐		
操	조	잡다	지조, 절개	조종하다	
朝	조	아침	朝廷	王朝	알현(謁見)하다
潮	조	밀물	조수	(생각의)흐름	
足	족	발	넉넉하다		
存	존	있다	보존하다		
卒	졸	마치다	죽다	갑자기	병졸
縱	종	세로	놓아주다		
宗	종	마루, 일의 根源, 根本	일족(一族)	으뜸	사당(祠堂), 종묘(宗廟)
左	좌	왼	낮은 자리		
罪	죄	허물	죄	형벌	
主	주	임금	주인		

宙	주	집	하늘			
周	주	두루	둘레	돌다		
奏	주	아뢰다	연주(演奏)하다			
准	준	준하다	승인하다			
準	준	준하다	표준, 기준			
仲	중	버금	가운데			
中	중	가운데	맞다, 맞히다	해치다		
重	중	무겁다	거듭하다	겹치다	두 번, 또다시	
之	지	가다	쓰다	어조사		
支	지	지탱하다	가르다	지불하다		
持	지	가지다	돕다	믿다		
指	지	가리키다	손가락			
摯	지	잡다	지극하다			
地	지	땅	바탕			
直	직	곧다	숙직			
津	진	나루	넘치다	윤택하다		
鎭	진	진압하다	지키다			
陳	진	베풀다	늘어놓다	말하다	묵다, 오래됨	
質	질	바탕	저당물			
疾	질	병	빨리, 빠르다			
朕	짐	나	조짐			
徵	징	부르다	징집(徵集)하다	거두다, 징수(徵收)하다		
次	차	버금	차례, 순서			

且	차	또	구차하다		
差	차	다르다	가리다	선택하다	
車	차/거	수레 차	수레 거		
着	착	붙다	(옷을)입다		
札	찰	편지	패(牌), 조각	뽑다	
參	참/삼	참여할 참	석 삼		
斬	참	(풀을)베다	심히, 매우		
倉	창	곳집	갑자기		
創	창	비롯하다	만들다		
暢	창	펴다, 진술하다	통하다, 막힘이 없다	화창하다	번성하다
采	채	풍채	캐다		
冊	책	책	세우다, 봉하다		
責	책	꾸짖다	책임		
處	처	곳	관서(官署)	멈추다	
斥	척	물리치다	엿보다		
遷	천	옮기다	옮겨가다	떠나가다	달라지다
捷	첩	빠르다	이기다		
牒	첩	편지	공문서		
靑	청	푸르다	젊다		
滯	체	막히다	머무르다		
促	촉	재촉하다	촉박하다	다가오다	
追	추	쫓다	거슬러 올라가다	따르다, 추모하다	채우다, 보충하다
推	추/퇴	밀 추	헤아릴 추	받들 추	밀 퇴

195

樞	추	지도리(돌쩌귀) 근원		본질
衝	충	찌르다	부딪치다	戰車의 이름
趣	취	뜻	풍취	
致	치	이르다	다하다	주다, 내주다
親	친	친하다	어버이	몸소, 친(親)히
蟄	칩	동면하다	(벌레가)숨다	숨어살다
彈	탄	탄알	과실	힐책하다 탄핵하다
歎	탄	탄식하다	칭찬하다	
蕩	탕	방탕하다	흔들다	
汰	태	일다	도태시키다	미끄러지다
澤	택	못	은혜	덕택
討	토	치다	탐구하다	
痛	통	아프다	몹시, 매우	
偸	투	훔치다	야박하다	경박하다
派	파	(물)갈래	보내다, 파견하다	
頗	파	자못	치우치다	
敗	패	패하다	썩다	
便	편/변	편할 편	똥오줌 변	
鋪	포	펴다	가게	(= 舖)
布	포	베	펴다	
胞	포	세포	친형제, 同氣	
疱	포	여드름	천연두, 마마	
暴	폭/포	사납다	해치다	

標	표	표(表)하다	표	표지(標識), 표시(表示)
表	표	겉	표	
漂	표	떠다니다	표백하다	
剽	표	겁박하다	훔치다	
慓	표	급하다	날래다	
稟	품	여쭈다	천품	
品	품	물건	품격	
風	풍	바람	풍채	풍악
匹	필	짝	천한 사람	
荷	하	꾸짖다	메다	
蝦	하	두꺼비	새우	
漢	한	한수	사나이	한나라
銜	함	재갈	직함	
合	합	합하다	싸우다	
該	해	갖추다	넓다	
行	행	다니다	행하다	행실
香	향	향기	향(香)	
鄕	향	시골	고향	
虛	허	비다	헛되다	
革	혁	가죽	고치다	
玄	현	검다	통달하다	통하다
賢	현	어질다	현명하다	
嫌	혐	싫어하다	의심하다	

彗	혜	비, 빗자루	살별		
戶	호	집	지게, 지게문		
號	호	이름	차례	부르다	부르짖다
胡	호	되(분량 단위)	오랑캐 이름		
糊	호	풀칠하다	모호하다		
護	호	돕다	지키다, 보호하다		
扈	호	따르다	넓다	막연하다	
毫	호	터럭	붓		
豪	호	호걸	사치	성(盛)하다	
渾	혼	흐리다	섞이다	모두	
忽	홀	갑자기	소홀히 하다	경시하다	
弘	홍	크다	넓다		
和	화	화하다	화목하다	온화하다	
華	화	빛나다	화려하다		
患	환	근심	병(病)		
鰥	환	환어	홀아버지		
橫	횡	가로	갑작스러운		
效	효	본받다	보람	효과	
候	후	기후	상황, 조짐, 증상	살피다	기다리다
携	휴	이끌다	들다, 휴대하다		
恤	휼	불쌍하다	구휼(救恤)하다	同情하다	
稀	희	드물다	매우		
詰	힐	묻다, 따지다	꾸짖다		

작가의 말

중2 때 담임 선생님이 한문을 담당하셨다. 고등학교에 이어 대학에서도 한자에 대한 흥미가 계속 있어 중국어와 일본어 수업을 들었고 국어, 한국사, 논리학, 철학, 사회학 등을 수강하며 한자와 가깝게 지냈다. 입사 후에는 33년 동안 글을 쓰는 애널리스트 업무를 했기 때문에 우리말의 70% 이상을 차지하는 한자에 대한 관심은 계속되었다. 특히 2015년부터는 후배들이 작성한 자료를 수정해 주면서 한자 지식의 필요성을 느껴 매일 500자 이상씩을 쓰면서 공부했다. 그 결과 아동한자지도사, 한자 2급, 1급, 한자/한문 지도사 2급, 1급에 이어 2020년에는 한자급수의 최고 등급인 사범에 합격하는 등 총 6개의 자격증을 취득했다.

그 과정에서 천자문, 사자소학, 추구집, 학어집, 명심보감, 논어, 맹자, 중용, 대학 등을 읽고 필사했다. 한자에 대한 지식은 한국사 검정시험에서 95점으로 1급을 취득하는 데에도 도움을 주었다. 무엇보다도 한자와 한문을 공부하면서 얻은 최대의 수확은 동양 고전에서 배울 수 있는 놀라운 선현들의 지혜이다. 부모에 대한 효도, 이웃에 대한 배려 그리고 자녀 교육에 대한 정성 등 주옥 같은 교훈들을 매일매일 접하면서 큰 감동을 받아 왔다. 2021년부터는 이러한 소중한 지식과 경험을 미래의 주인공인 우리 아이들에게 전수하고 있다.

우리나라는 이제 세계 10위권의 선진국으로 도약했다. 하지만 현재의 젊은 세대들은 불과 100년 전에 우리의 선조들이 쓰신 글을 제대로 이해하기 힘들어 한다. 또한 최근에는 줄임말 홍수와 더불어 한글과 한자, 한자와 영어, 그리고 한자, 한글, 영어의 합성어로 된 신조어들도 날로 증가하고 있어 세대간의 의사소통은 갈수록 더 어려워지고 있다. 이 책은 필자가 지난 10년 동안 정리해온 실용 및 생활 한자어 5,000 중에서 사용빈도가 높은 순으로 3,500여 어휘를 추린 것이다. 아무쪼록 이 책이 이러한 심각한 문해력 문제를 해결하는 데 작은 도움이 되었으면 한다.